ILS M'ONT
APPELÉE
EVA

L'auteur

Joan M. Wolf a étudié les sciences de l'éducation à l'université du Minnesota et suivi un master d'écriture à l'université de Hamline. Aujourd'hui, elle partage son temps entre son travail d'écrivain et les cours qu'elle donne à des classes de CM1, dans le Minnesota. *Ils m'ont appelée Eva* est son premier roman pour la jeunesse. Afin d'écrire ce premier livre pour jeunes lecteurs, elle est allée effectuer des recherches en République tchèque et plus particulièrement à Lidice, où se sont produits les terribles événements du 10 juin 1942 qu'elle raconte ici.

JOAN M. WOLF

ILS M'ONT APPELÉE EVA

Traduit de l'anglais (États-Unis)
par Marie-Pierre Bay et Nicolas Bay

POCKET JEUNESSE

Ouvrage publié sous la direction
de Marie-Pierre Bay et Nicolas Bay

Titre original :
Someone named Eva

Publié pour la première fois en 2007 en langue anglaise
par Clarion Books, un département
de Houghton Mifflin Company, New York.

ISBN : 978-2-266-18197-6

1

Mai 1942 :
Lidice, Tchécoslovaquie

Au printemps 1942, quand les soldats sont arrivés dans notre ville, nous passions toutes nos journées ensemble, Terezie, ma meilleure amie, et moi. Il avait fait très doux, ce mois de mai-là, comme toujours avant les grosses chaleurs humides de l'été. Nous allions avoir onze ans, à exactement un mois de distance et le soir, nous nous amusions à imaginer nos deux fêtes d'anniversaire. Et nous regardions les étoiles.

Moi, j'aurais pu les contempler indéfiniment, en train de scintiller là-haut. Papa disait que, tout bébé, je tendais déjà les deux mains pour essayer de les attraper. Terezie ne s'y intéressait pas autant, mais pour me faire plaisir, elle restait dehors avec moi à la nuit tombée.

Un soir, exactement une semaine avant mon anniversaire, nous étions couchées dans l'herbe toutes les deux quand une traînée lumineuse a traversé le ciel.

« Oh, Milada ! Regarde ! Une étoile filante ! » s'est exclamée Terezie en se redressant sur un coude. Cela signifiait sûrement que quelque chose de merveilleux, de très particulier allait bientôt se produire.

« Fais un vœu », ai-je dit en fermant les yeux et en me demandant celui que je pouvais faire moi-même. J'ai tout de suite pensé à mon anniversaire.

« Je sais pourquoi il y a eu cette étoile filante. Je sais ce qui va arriver », a repris Terezie comme si elle devinait mes pensées, ce qui était fréquent, avant même que je les exprime.

Je me suis tournée vers elle et j'ai vu qu'elle arborait un large sourire.

« Eh, ça concerne ma fête ? »

Elle a eu un petit rire, en détournant son regard et s'est assise en serrant ses genoux contre elle. Je l'ai attrapée par une épaule :

« Tu sais quelque chose ! Tu sais quel cadeau je

vais avoir ! Un vrai cadeau ? Oh, dis-le-moi, tu dois
me le dire !

— J'ai juré de garder le secret. »

Et elle a ri plus fort, de ce grand rire si musical
que j'aimais tant chez elle.

J'avais pensé que cette année-là, il n'y aurait pas
de cadeau – tout en espérant le contraire, bien sûr.
Peut-être que ma *babichka*, ma grand-mère, me tri-
coterait une écharpe ou des moufles avec un peu de
laine récupérée ici et là, mais depuis que les nazis
avaient envahi la Tchécoslovaquie, trois ans auparavant, on manquait de tout. Un cadeau, cela coûte
de l'argent, et je ne devais donc pas m'attendre à
grand-chose.

« Arrête de me taquiner, Terezie, maman a dit
qu'on n'aurait même pas assez de sucre pour faire
un gâteau.

— Tu vas être obligée d'attendre jusqu'à ta fête
pour savoir. »

Et elle a serré les lèvres, pour m'indiquer qu'elle
n'en dirait pas plus.

Aussi loin que je m'en souvienne, nos deux
familles se réunissaient toujours en mai, puis en
juin, pour célébrer nos deux anniversaires. Et cette
année-là, ce serait pareil, en dépit de la guerre et
des rationnements. Donc, par un bel après-midi de
la mi-mai, tout le monde s'est retrouvé dans la cour

de notre maison. J'avais eu la permission d'inviter aussi Zelenka et Hana, deux copines d'école, et Ruja, à la demande de Maman. Pourtant, je ne la considérais pas comme une amie, même si elle était dans ma classe. Elle avait quelque chose de froid, de déplaisant, et elle pouvait se montrer si méchante que les garçons aussi la craignaient.

« Oh, Maman, non ! Je t'en prie ! Pas Ruja !

— Si, absolument. Du moment que tu invites deux autres camarades, elle doit venir aussi. Tu sais qu'elle n'a pas eu la vie facile depuis la mort de sa mère.

— Voyons, elle va tout gâcher ! »

Mais pour Maman, le débat était clos et j'ai compris que ça ne servirait à rien d'insister.

Nous étions donc tous assis au soleil, à bavarder et à profiter de cette belle journée. Ruja se tenait un peu à l'écart, vêtue d'une robe trop courte, les cheveux en désordre, si bien que des mèches blondes retombaient sur ses yeux. Elle ne semblait pas à l'aise, comme si elle n'avait qu'une hâte, repartir chez elle. J'éprouvais parfois un peu la même chose en classe, au point de compter les minutes, mais jamais pendant une fête. Ruja, elle, aimait beaucoup l'école et c'était une excellente élève, sans jamais être, cependant, le chouchou d'aucune maîtresse. Elle les agaçait à trop souvent formuler des critiques sur tout et tout le monde.

« Joyeux anniversaire, Milada ! a dit Maman, tandis que Papa déposait un gros paquet sur mes genoux.

— Oh, Papa, un cadeau ! »

J'ai regardé Terezie, qui m'a fait un clin d'œil et s'est approchée avec ses deux frères, ainsi que ma babichka qui tenait dans ses bras ma petite sœur Anechka, un an à peine, en train de sucer son pouce.

J'ai commencé à dénouer la ficelle, mais une main s'est brusquement posée sur la mienne. J'ai crié : « Jaro ! Arrête ! » Mon frère, âgé de quinze ans, n'arrêtait pas de me taquiner. Mais cette fois, il n'y avait rien de désagréable dans son regard, au contraire.

« Devine ce qu'il y a dans cette boîte, a-t-il dit, il faut que tu devines avant de l'ouvrir. Ça te portera bonheur. »

D'un seul coup, je me suis retrouvée toute petite fille sur la balançoire qu'il poussait et, dans ce temps-là, il ne me faisait jamais de misères. Je lui ai souri, puis j'ai fermé les yeux.

« Voyons, je crois que c'est une poupée, comme celle avec laquelle je dormais autrefois. »

Baptisée affectueusement « Madame Poupée », et aujourd'hui en piteux état, elle était toujours bien à sa place dans ma chambre, posée sur une étagère. Jaro menaçait souvent de la jeter, un jour où j'aurais le dos tourné.

Il a éclaté de rire, Hana et Zelenka l'ont imité et j'ai même surpris l'esquisse d'un sourire sur le visage de Ruja, qui nous observait d'un peu plus loin.

Alors j'ai vite arraché le papier d'emballage, soulevé le couvercle de la boîte et quand j'ai découvert ce qu'il y avait dedans, j'en suis restée bouche ouverte.

« Ça te plaît, Milada ? a demandé Papa.

— Oh, Papa... »

Je n'arrivais presque plus à parler.

Ce que je venais de découvrir, c'était un télescope. Je voyais qu'il n'était pas neuf, parce que la base était ébréchée d'un côté, mais je n'avais jamais rien vu de plus beau de toute ma vie. J'ai répété : « Oh, Papa ! », avant de lui sauter au cou.

« Je suis content que ça te fasse plaisir. Très content, a-t-il déclaré en me tapotant l'épaule.

— Tiens, Milada, a alors dit Terezie en sortant d'une de ses poches un petit paquet qu'elle m'a tendu. C'est pour toi. Bon anniversaire.

— Oh, mais tu n'aurais pas dû, voyons ! »

Maman m'avait bien fait comprendre qu'il n'y aurait de cadeaux que de la part des membres de la famille. Terezie nous a regardées, puis a expliqué que nous étions comme deux sœurs et donc...

« Merci », ai-je dit en défaisant l'emballage. C'était une affiche, réalisée à la main. Terezie avait collé au milieu la photo d'une de ses actrices de cinéma préférées et dessiné des guirlandes tout autour, comme on en voit sur les vraies affiches de film. J'aimais aussi beaucoup cette actrice-là. Cela faisait un très beau cadeau.

« Je l'ai bricolé moi-même, a précisé Terezie en rougissant.

— C'est magnifique ! me suis-je exclamée en la serrant dans mes bras.

— Goûter, tout le monde ! a annoncé Maman en nous présentant un clafoutis aux fruits, mon dessert préféré.

— Mais où as-tu trouvé du sucre ? ai-je demandé.

— La mère de Terezie m'a donné une partie de sa ration. »

Je me suis tournée vers la maman de Terezie, qui me souriait et j'ai chuchoté « merci ». Puis j'ai regardé ceux et celles qui se trouvaient là, autour de moi, et avaient voulu faire de cette journée quelque chose de spécial, et j'ai répété « merci, merci à tous ».

La bougie, déjà à moitié consumée parce que c'était celle utilisée pour fêter les un an d'Anechka, avait été plantée sur le clafoutis pour qu'il ressemble plus à un gâteau d'anniversaire. J'ai fait un vœu, avant de souffler pour l'éteindre, et Maman a servi une petite part à chacun. J'ai savouré le goût délicieux des framboises et des groseilles acides, mêlé à celui, plus doux, de la pâte. Pendant que nous mangions, les adultes se sont rassemblés pour discuter entre eux, à propos de Hitler, comme d'habitude.

« Ce clafoutis est excellent », a dit Papa à Maman. Puis il s'est adressé à la mère de Terezie : « C'est très généreux de votre part de nous avoir donné une partie de votre ration de sucre.

— Voyons, c'est le moins que je puisse faire. Nous devons nous entraider tant que Hitler et ses nazis sont chez nous.

— Hitler ! s'est exclamée Babichka, puis elle a craché par terre, comme chaque fois qu'elle prononçait ce nom-là. Il est le mal incarné !

— Mère, a dit Papa, tout finira par s'arranger. Ne te mets pas dans un état pareil.

— Si on allait finir le gâteau sous l'arbre », ai-je proposé à mes invitées. Je détestais voir Babichka s'énerver autant et je n'avais pas envie d'entendre parler de la guerre, ce qui gâcherait cette belle journée.

Nous sommes donc allées nous asseoir au fond

de la cour. Même Ruja s'est jointe à nous. J'ai fait circuler l'affiche de Terezie pour que chacune puisse l'admirer.

« J'aimerais bien devenir actrice de cinéma un jour, a déclaré Hana en poussant un petit soupir.

— Tu n'es pas assez jolie pour ça, a rétorqué sèchement Ruja, sur son ton cassant habituel.

— Ce n'est pas gentil, ce que tu viens de dire, a protesté Zelenka.

— Peut-être, mais c'est vrai, a insisté Ruja, et en plus, pour être actrice, il faut être capable de bien lire et apprendre son rôle par cœur. »

Hana est devenue cramoisie. Tout le monde savait qu'elle avait eu beaucoup de mal à apprendre à lire.

Zelenka a alors tenté de changer de sujet :

« J'aime beaucoup les fleurs que tu as dans les cheveux, Milada. »

Ruja a levé les yeux au ciel, mais n'a rien ajouté.

« Merci, ai-je dit. C'est Maman et Babichka qui en ont glissé dans mes nattes.

— C'est ravissant », a ajouté Terezie.

J'ai bien vu que ma coiffure lui faisait un peu envie. Depuis toujours, elle regrettait de ne pas avoir des cheveux blonds et lisses comme moi. Les siens étaient châtain foncé, bouclés et difficiles à peigner. De nous deux, c'était celle qui se souciait le plus de son apparence et se demandait à quel âge elle aurait le droit de se maquiller. Moi, ça ne m'intéressait pas beaucoup et je m'étais plainte à haute et intelligible voix quand Maman et Babichka avaient insisté pour me tresser les cheveux en l'honneur de nos invités.

Maman a interrompu notre conversation :

« Ruja, ton frère est venu te chercher. »

J'ai levé les yeux et vu Karel, le frère de Ruja, à l'entrée de la cour. Il n'avait pas l'air à l'aise du tout et se balançait d'un pied sur l'autre, les mains enfoncées dans ses poches.

« Tu n'as pas besoin de repartir tout de suite ? a dit Maman en lui tendant une part de gâteau.

— Merci », a-t-il marmonné en commençant à manger très vite. Il n'a pas adressé la parole à Jaro, pas plus qu'aux frères de Terezie et à Ruja, qui avait l'air de plus en plus mal à l'aise depuis son arrivée. Nous avons fini notre goûter en silence, puis Karel, dès qu'il a eu terminé le sien, a intimé à sa sœur l'ordre de le suivre :

« Viens, on s'en va. »

Elle s'est levée et ils sont partis sans même nous dire au revoir. Bien sûr, je ne l'aurais jamais exprimé tout haut, mais j'étais drôlement soulagée de les voir s'en aller. Ruja avait déjà réussi à être méchante avec Hana, c'était suffisant comme ça.

Ensuite, adultes et enfants se sont divisés en deux groupes, pour jouer, comme à chaque anniversaire, à colin-maillard. Après, je le savais, je pouvais choisir le jeu que je voudrais, puisque c'était mon anniversaire.

Quand le moment est arrivé, j'ai crié :

« Je choisis la balle au camp !

— Évidemment, a dit Terezie. C'est toujours ce que tu préfères. »

De toute ma classe, c'est moi qui courais le plus vite et j'adorais ce qui impliquait d'être rapide.

Nous avons joué longtemps, jusqu'à ce que les adultes se plaignent d'être fatigués et rentrent dans la maison. Zelenka, Hana, Terezie et moi avons continué à nous amuser dans la cour, Jaro et les frères de Terezie nous pourchassant pour rire. Et puis nous aussi en avons eu assez. Maman a annoncé que la fête était finie. Zelenka et Hana sont parties les premières, bientôt suivies par Terezie et sa famille. J'ai aidé à desservir la table, mais on m'a dit que, puisque c'était le jour de mon anniversaire, je n'avais pas besoin de faire la vaisselle.

Quand il a commencé de faire sombre, nous nous sommes assises sur le perron, Babichka et moi. J'ai dénoué ma longue natte et laissé mes cheveux libres. Grand-mère s'est mise à les brosser doucement, comme elle le faisait parfois, et j'adorais le va-et-vient apaisant de ses mains.

Les étoiles apparaissaient une à une dans le ciel. J'ai levé les yeux, Babichka a suivi mon regard et déclaré :

« Ce soir, ton papa et toi devriez inaugurer ton télescope et examiner de plus près ce qu'il y a là-haut.

— Oh oui, on va faire ça ! »

La nuit promettait d'être claire, ce serait parfait. Ma grand-mère avait été la première à m'apprendre à reconnaître les étoiles et les constellations. En outre, dans notre village, elle avait une réputation d'excellente conteuse et j'espérais un jour lui ressembler. Cela me plaisait beaucoup que nous portions le même prénom, celui aussi de sa mère avant elle.

« Regarde, Babichka, ai-je dit soudain, voilà la Petite Ourse.

— Oui, et te rappelles-tu le nom de l'étoile qui est tout au bout, la plus brillante ?

— Bien sûr, c'est l'étoile Polaire.

— Exact, l'étoile Polaire, celle qui est toujours au nord dans le ciel. »

Ma grand-mère m'avait enseigné que cette étoile-là était très spéciale, parce qu'elle restait visible quelle que soit la saison. Au début, je ne voulais pas la croire. Je savais que, saison après saison, les constellations se déplacent dans le ciel et que certaines disparaissent même temporairement. Mais patiemment, tout au long de l'année, elle m'avait désigné l'étoile Polaire et j'avais fini par admettre que c'était vrai.

« Tu sais, Milada, les marins se repéraient sur elle pour trouver leur chemin à travers les océans et ensuite, pour rentrer chez eux, après un long voyage, me répétait-elle souvent, en ajoutant : Souviens-toi, où que tu te trouves, si tu vois l'étoile Polaire, tu peux t'orienter. Même si un jour tu es perdue, elle sera toujours là pour te guider. »

Elle me l'a dit encore ce soir-là, en me regardant bien en face, avant de recommencer à me brosser les cheveux. J'ai chuchoté : « Oui, grand-mère, je ne l'oublierai pas. » Je me suis blottie contre elle et nous sommes restées un bon moment sans parler.

*
* *

Quand il a fait tout à fait sombre, Papa et moi avons essayé mon télescope. Nous sommes montés en haut d'une petite butte, derrière la maison, et je frémissais d'excitation en l'ajustant à ma vue.

J'avais envie d'en avoir un à moi depuis mes cinq ans et voilà que c'était arrivé.

J'ai d'abord examiné le ciel très soigneusement, puis j'ai regardé avec le télescope, stupéfaite de constater à quel point les étoiles et les planètes paraissent soudain différentes.

« Tu veux voir, Papa ? ai-je demandé.

— Non, non, m'a-t-il répondu. J'ai juste envie de rester un peu avec toi. Une longue journée m'attend demain dans les champs. »

Papa était fermier et il travaillait dur. Il se montrait très fier d'exercer le même métier que son père et son grand-père avant lui. Il me disait souvent qu'il faut toujours être fier de ce qu'on a choisi de faire.

J'ai cherché l'étoile Polaire, tout en repensant à ce que Babichka m'avait dit. Puis, après un assez long moment de silence, j'ai posé la question qui me taraudait depuis longtemps :

« Papa...

— Oui ?

— Quand est-ce que les nazis de Hitler vont partir d'ici ?

— Oh, Milada, ne pense pas à cela, surtout aujourd'hui. C'est ton anniversaire.

— Mais cela fait déjà trois ans qu'ils sont chez

nous et j'ai entendu la maman de Terezie dire que rien ne sera plus jamais comme avant. »

À leur arrivée, j'avais huit ans. Une semaine après, nous étions allés à Prague rendre visite à des cousins de Maman et j'avais vu une parade de soldats nazis qui défilaient, leurs bottes noires martelant le sol, une croix gammée sur leur uniforme. On nous avait obligés à y assister et à lever le bras en criant « Heil Hitler ! ».

Plus tard, les Juifs ont été forcés de porter une étoile jaune sur leurs vêtements. J'ai été plutôt contente de ne pas être dans ce cas-là et de ne connaître personne obligé de le faire. Mais le souvenir de cette parade me faisait encore frissonner.

« Tout s'arrangera un jour, a dit Papa. Il faut simplement que la famille reste groupée chez elle. Tout ira mieux, je te le promets. Bientôt. »

Et il m'a ébouriffé les cheveux d'une main. J'ai hoché la tête et recommencé à scruter le ciel, un peu réconfortée par ce que je venais d'entendre. Papa ne m'aurait jamais dit cela s'il n'y croyait pas lui-même. Tout s'arrangerait. Il me l'avait promis.

2

Juin 1942 :
Lidice, Tchécoslovaquie

Trois semaines après mon anniversaire, on nous a donné la permission, à Terezie et à moi, de nous coucher plus tard, pour aller regarder les étoiles et préparer sa fête à elle.

Il faisait bon, le ciel était clair et on aurait dit que toutes les étoiles brillaient en même temps. J'ai appris à Terezie à se servir du télescope, puis au bout d'un moment, nous nous sommes assises dans l'herbe pour bavarder.

« Moi aussi je voudrais avoir un dessert, quelque chose de sucré, a dit Terezie quand nous avons abordé la question du goûter, mais ce qui me ferait vraiment plaisir, c'est un vrai gâteau, glacé sur le dessus. Seulement je ne suis pas sûre que ce sera possible, nous avons si peu de sucre... »

Elle s'est brusquement tue parce que Jaroslav a surgi devant nous.

« Que je n'interrompe surtout pas vos rêves de sucre et de gâteau, a-t-il dit avec un petit sourire. Je suis juste sorti pour prendre un peu l'air.

— File de là, Jaro. Nous discutions à propos de la fête d'anniversaire de Terezie.

— Non, Milada, il peut rester. »

Même dans l'obscurité, je savais que Terezie rougissait. C'était de notoriété publique qu'elle avait le béguin pour Jaro.

Il s'est assis à côté de nous et nous a laissées bavarder. Puis comme l'heure tournait, Terezie nous a dit au revoir et est rentrée chez elle. Je suis partie me coucher à mon tour, pour rêver ce soir-là d'étoiles et de fêtes d'anniversaire.

*
* *

Quelques heures plus tard, j'ai été réveillée par de grands coups frappés à notre porte, si violents que j'ai éprouvé comme une espèce de nausée. Quelque chose n'allait pas du tout.

Brusquement, la porte s'est ouverte en grand et j'ai entendu des bruits de bottes, des aboiements et des hurlements en allemand. Rejetant mes couvertures, je me suis levée et j'ai vite descendu l'escalier pour découvrir notre salon rempli de soldats nazis.

« Papa ! » ai-je crié.

Il m'a aussitôt fait signe de ne pas approcher.

Je tremblais de tous mes membres. Des nazis. De près, ils étaient encore plus effrayants que ceux que j'avais vus défiler à Prague. Et voilà qu'ils se trouvaient chez nous.

Jaro était debout à côté de Babichka, dont il entourait les épaules d'un bras, comme pour la protéger. Dans la pièce voisine, j'entendais Maman qui sortait Anechka de son berceau.

Je regardais alternativement mon frère et les nazis qui ne semblaient guère plus âgés que lui. Certains semblaient avoir du mal à tenir sur leurs jambes et une odeur d'alcool empestait toute la pièce.

Le plus proche de moi m'a crié un ordre en allemand en désignant l'escalier de son arme.

« Monte dans ta chambre, Milada, m'a alors chuchoté Maman, qui arrivait, Anechka dans les bras. Il dit que nous devons quitter la maison. Va t'habiller et prends quelques affaires, des vêtements pour trois jours. »

Elle savait l'allemand et pouvait donc traduire ce que le soldat hurlait.

Je suis repartie jusqu'à l'escalier et, d'un seul coup, les soldats et les chiens sont sortis dans la cour. Ils avaient laissé la porte grande ouverte, mais on ne les entendait plus.

À l'école, nous avions lu une fois un poème, Terezie et moi, où l'auteur parlait d'un « bruyant silence », ce qui nous avait bien fait rire. Comment un silence pouvait-il être bruyant ? Mais ce soir-là, après le départ des nazis, j'ai compris ce que cela voulait dire. Le salon était vide, mais l'effrayante présence des nazis se faisait encore sentir.

Jaro a été le premier à parler :

« Pourquoi sont-ils venus ? Qu'est-ce qui se passe ? »

Il regardait alternativement Papa et Maman.

« On nous arrête et on nous emmène pour être interrogés, a dit Papa d'une voix calme.

— Quoi ? Mais pourquoi ? Nous n'avons... »

Papa l'a interrompu.

« Jaro, je n'en sais pas davantage. Faisons d'abord ce qu'ils nous disent, nous en saurons plus ensuite. Allez, que chacun prépare son bagage. »

Je me suis habillée à la hâte, sans réaliser vraiment encore que les nazis étaient venus chez nous et que j'allais quitter ma maison.

J'ai fourré quelques vêtements dans un sac, attrapé Madame Poupée, même si je savais que j'étais trop grande pour jouer avec. Puis j'ai pris avec précaution mon télescope. Où j'irais, il irait aussi.

En bas, Anechka restait très tranquille dans les bras de Maman. Papa tenait une valise d'un côté et la main de Maman de l'autre. Jaro, le visage fermé, avait son sac de voyage. Babichka n'avait pris que la photo de son mariage avec Grand-père, mort depuis bien longtemps, et un chapelet.

Je l'ai regardée sans comprendre. Où étaient ses bougeoirs en argent et son crucifix ? Son châle brodé à la main ? Elle m'a attirée vers elle et a saisi une de mes mains entre les siennes. Puis elle y a glissé sa broche en grenat, celui de ses bijoux que je préférais. Elle était en forme d'étoile avec de minuscules pierres rouge foncé qui scintillaient à la lumière. J'ai secoué la tête et voulu la lui rendre.

« Non, Milada », a-t-elle dit d'une voix qui tremblait un peu. Et elle l'a épinglée sous le col de mon chemisier. « Tu dois la garder et ne rien oublier. Rappelle-toi toujours qui tu es. Rappelle-toi d'où tu viens. Toujours. »

J'ai voulu protester davantage.

« Chut, mon chou. Ne dis plus rien. »

Elle a posé un doigt sur mes lèvres, puis m'a caressé les cheveux.

« Bon, a déclaré alors Papa en éteignant la lumière dans le salon, puis sous le porche. Bon, on y va. »

Et tous les six, nous avons quitté la maison.

Dans la cour, deux nazis nous attendaient, avec leurs chiens. On distinguait mal leurs visages dans l'obscurité, si bien qu'ils avaient l'air de porter des masques.

L'un d'eux nous a fait signe de son arme, à Babichka et à moi, d'aller jusque dans la rue. L'autre a brutalement empoigné Papa pour l'écarter de Maman. J'ai vu leurs mains enlacées s'agripper encore plus, puis lâcher prise. Papa avait les yeux pleins de larmes.

« Je t'aime, Antonin ! a crié Maman.

— Je t'aime, Jana ! »

Et la voix de Papa s'est brisée.

Puis c'est Jaro qui a été poussé dans le dos pour le rejoindre et il nous a envoyé un baiser, en me faisant un clin d'œil. Je suis restée là, hagarde, incapable d'articuler un seul mot. J'ai regardé mon père et mon frère tandis qu'on les emmenait, puis Maman m'a montré que je devais obéir au nazi qui m'indiquait de son arme la direction à prendre. Je tremblais de la tête aux pieds et j'ai regardé les étoiles, mais cela ne m'a pas du tout réconfortée.

J'ai vu peu à peu arriver d'autres femmes, toutes des voisines, avec leurs enfants, encadrés aussi par des nazis, et j'ai alors compris que ma famille n'était pas la seule à avoir été arrêtée. On entendait le bruit des pas sur le gravier du chemin, qui augmentait au fur et à mesure que chaque maison de Lidice était vidée de ses occupants. Maman embrassait doucement Anechka sur le front et moi je sentais mon télescope peser de plus en plus lourd. Quelqu'un a crié « Milada ! », je me suis retournée et j'ai vu Terezie et sa mère, qui couraient pour nous rattraper. Elles nous ont embrassées, Maman et moi, en pleurant.

« Vous savez ce qui se passe ? » a demandé Terezie. Elle avait les yeux gonflés et semblait très effrayée quand elle a glissé sa main dans la mienne. Ni son père ni ses frères ne les accompagnaient. J'ai chuchoté :

« Papa a dit qu'on nous arrêtait.

— Tous ? Mais pourquoi ?

— Je ne sais pas. »

Nous sommes arrivées devant l'entrée de l'école. Les pleurs des enfants se mêlaient aux ordres hurlés en allemand par les soldats, qui nous ont poussées sans ménagement jusqu'à la salle de gymnastique, où on nous a ordonné de nous aligner le long d'un mur. Je me suis placée tout près de Maman et de

Babichka, tandis que Terezie se glissait entre moi et sa mère.

Sans se presser, l'air détaché, les soldats ont commencé à s'emparer de nos valises, de nos sacs et de tout ce qu'on nous avait dit d'emporter. J'ai senti un mélange de peur et de colère m'envahir. Pourquoi nous avoir dit de prendre des affaires si c'était pour nous les voler ?

Ils s'approchaient de Babichka, qui regardait droit devant elle. Elle n'a pas bougé, ni manifesté aucune émotion quand des mains gantées de noir lui ont arraché la photo de son mariage, pour la jeter sur le tas de nos maigres possessions, où elle est tombée dans un bruit de verre brisé.

Ma poupée m'a été prise, elle aussi, et a fini au même endroit. Mais quand on a voulu m'enlever mon télescope, j'ai secoué la tête et tenté de m'écarter du nazi qui le saisissait déjà.

« Milada, a chuchoté Maman, obéis ! »

Je l'ai dévisagée, mais n'ai pas bougé. Comment supporter de voir mon télescope jeté comme un vieux chiffon ? J'ai lancé un regard suppliant au soldat, mais il l'a attrapé d'un mouvement brusque. Toutefois, au lieu de s'en débarrasser, il l'a tendu à un autre nazi qui marchait de long en large d'un air plein de suffisance, en faisant claquer ses talons. Ce dernier est aussitôt parti avec, en direction des vestiaires. J'ai poussé un soupir de soulagement : au moins, on ne me l'avait pas cassé.

Puis un des gardes a aboyé un nouvel ordre, d'une voix pleine de colère. Et on nous a vite poussés dehors, où d'énormes camions attendaient, moteur déjà en marche. Ils étaient recouverts à l'arrière d'une toile épaisse que le vent soulevait. Dans l'obscurité, j'ai distingué les croix gammées qui les ornaient.

On nous a fait monter dedans, serrés les uns contre les autres, le long d'une espèce de rampe. Puis on nous a ordonné de nous asseoir sur les bancs étroits disposés sur les côtés. D'un seul coup, la fatigue m'a submergée. Mes bras tremblaient à force d'avoir porté le télescope et je ne pouvais plus m'empêcher de pleurer.

« Où allons-nous ? » ai-je chuchoté à Maman au moment où le camion démarrait.

« Je ne sais pas, Milada. »

Elle a essuyé les larmes sur mes joues et écarté des mèches de mes yeux. Anechka s'était à moitié endormie sur son épaule.

« Où sont Papa et Jaroslav ? » ai-je insisté.

Babichka a serré une de mes mains dans la sienne.

« Chut, maintenant, tais-toi, ferme les yeux et tâche de dormir », m'a dit Maman.

Et elle m'a attirée contre elle.

Babichka a commencé à prier tout bas, en égrenant de sa main restée libre le chapelet qu'elle avait réussi à dissimuler dans une de ses manches. Terezie et sa mère étaient assises un peu plus loin. J'ai essayé de ne plus penser à rien et surtout pas à l'odeur aigre du carburant.

*

* *

J'ai sursauté quand le camion s'est brutalement arrêté quelques minutes plus tard. Quelqu'un a dit tout bas qu'on était à Kladno, une ville proche de Lidice, et le message a circulé.

Des soldats nazis sont apparus à nouveau pour disposer encore une fois des rampes et nous faire descendre rapidement, nous pousser à l'intérieur d'une autre école, plus grande que la nôtre et jusque dans le gymnase.

Il y avait du foin par terre, qui sentait bon. De leur fusil, les nazis nous ont indiqué où nous installer. Maman a étalé une couverture qu'elle avait prise pour Anechka et nous nous sommes assises dessus. Brusquement, le sommeil m'a terrassée, comme si plus rien ne comptait. En dépit de la peur, de l'angoisse, du foin qui me piquait partout, je me suis endormie comme une masse.

*
* *

Des rayons de soleil filtrant par les fenêtres du gymnase m'ont réveillée. Je me sentais toute raide, et pendant un instant je n'ai pas compris où j'étais. Puis très vite, le bruit des enfants qui commençaient à s'agiter et des femmes qui chuchotaient entre elles m'a ramenée à la réalité et aux événements de la nuit précédente.

Je me suis assise, pour regarder autour de moi. Terezie et sa mère étaient à côté de nous, mon amie Hana, sa mère et sa sœur un peu plus loin, avec sa grand-mère et sa tante. J'ai vu aussi près d'elles une de nos voisines, Mme Kucera, qui est veuve. De l'autre côté du gymnase, il y avait mon professeur de l'année dernière, avec Jelenka, ses trois sœurs et leur mère, ainsi que Ruja, très pâle, et sa tante.

« Ils ne peuvent quand même pas nous arrêter tous, a soudain dit Mme Hanak, une autre voisine, sans s'adresser à quiconque en particulier. Quel crime avons-nous commis ? »

La maman de Terezie a demandé sur un ton suppliant à un des gardes qui patrouillaient près de nous, fusil à la main :

« S'il vous plaît, monsieur, qu'est-il arrivé à mon mari ? Quand pourrai-je le voir ? »

Il a répondu très sèchement en allemand, sans la regarder, en continuant à balayer le gymnase des yeux. Je me suis tournée vers Maman pour voir si elle avait entendu. Avec un pauvre sourire, elle m'a dit que oui et a traduit :

« Tous les hommes ont été emmenés dans un camp de travail. Nous irons bientôt les rejoindre. »

Bientôt. Le garde avait dit bientôt. J'allais retrouver Papa et Jaroslav, nous serions à nouveau réunis.

Mme Janecek, qui avait trois fils, plus âgés que Jaro, s'inquiétait pour eux, restés avec son mari. Elle a gémi : « Mais pourquoi nous ont-ils séparés les uns des autres ? On devrait nous dire pourquoi. »

Elle parlait de plus en plus fort. Quelqu'un lui a tapoté le bras :

« Chut, Helena, chut, tout va s'arranger. Ne vous énervez pas comme ça, s'il vous plaît, s'il vous plaît. Tout ira bien. »

Les heures ont passé, très lentement. Pour tuer le temps, j'ai essayé de compter toutes sortes de choses : les fenêtres du gymnase, les ballons de basket rangés sur des étagères, les portes ouvrant sur l'extérieur, les soldats nazis qui patrouillaient entre les rangées de femmes et d'enfants. Ceux-là étaient nettement plus âgés que ceux de la veille au soir, ils avaient le regard plus dur, plus en alerte et ils ne tenaient pas leur fusil de la même façon.

Si je fermais les yeux, en entendant le bruit des femmes, des enfants et des bébés autour de moi, j'aurais pu m'imaginer être à un pique-nique de la paroisse ou à une fête de l'école, plutôt que me retrouver emprisonnée dans un gymnase. Mais dès que quelqu'un se mettait à pleurer ou que je sentais à nouveau l'odeur du foin, je n'avais qu'à ouvrir les yeux pour voir ce qui était réellement en train de se passer.

Babichka continuait à prier, en égrenant son rosaire. Sa robe était toute chiffonnée et des mèches grises s'échappaient de son chignon. Anechka ne semblait pas du tout se rendre compte de ce qui nous arrivait. Elle jouait avec les doigts de Maman qui continuait à sourire et à me dire que tout s'arrangerait. Je lui souriais en retour, mais je lisais l'anxiété dans son regard.

La maman de Terezie est venue s'asseoir à côté d'elle et elles ont longtemps chuchoté ensemble. Je me suis installée près de Terezie et nous avons parlé de tout ce que nous ferions dès que nous serions autorisées à rentrer chez nous.

« Moi, a dit Terezie tout bas, je commencerai par me changer et après, j'irai faire un grand tour à vélo.

— Bonne idée, ai-je répondu, je crois que je ferai exactement la même chose. »

L'idée de filer librement dans les rues de Lidice,

plutôt que rester assise sur une couverture dans ce gymnase, me plaisait beaucoup.

« Je viendrai te chercher, a ajouté Terezie.

— D'accord. Et puis il faut qu'on décide enfin ce qu'il y aura pour ton goûter d'anniversaire.

— Je voudrais un gâteau, un vrai gâteau au chocolat.

— Formidable. On se débrouillera pour trouver du sucre », ai-je dit.

Et Terezie a acquiescé en me souriant.

*

* *

Personne n'osait trop s'éloigner de la place qui lui avait été assignée. Les enfants restaient près de leur mère et nous attendions tous. Nous paraissions pétrifiés dans ce gymnase, comme des personnages sur une photo, incapables de rien faire d'autre qu'attendre de rentrer chez nous et de revoir nos pères et nos frères.

J'avais envie de serrer Papa dans mes bras, plus fort que jamais, de sentir sa barbe me piquer les joues, d'entendre sa voix grave et son gros rire. Je voulais lui raconter ce qui s'était passé avec mon télescope, qu'il soit fier parce que j'avais essayé de ne pas le laisser au nazi et qu'il me promette que bientôt, j'en aurais un autre et qu'on regarderait encore les étoiles tous les deux.

Je voulais aussi retrouver Jaro. L'embrasser et le laisser me taquiner à propos de ma vieille poupée. Et voir Terezie rougir devant lui.

Mais nous devions attendre, encore et encore. Les minutes devenaient des heures, et les heures une journée de plus. Il faisait de plus en plus chaud et humide et la faim commençait à nous tourmenter sérieusement. On nous avait distribué en tout et pour tout du café froid et des morceaux de pain sec, en quantité à peine suffisante pour tous. J'ai regardé avec envie Anechka boire son biberon. Je me suis dit que Maman aurait bien dû m'apporter de quoi manger à moi aussi.

Quelques femmes se sont enhardies à circuler un peu, pour échanger quelques mots avec une voisine, ou prier en petit groupe. Les nazis n'arrêtaient pas de nous surveiller de près, tenant toujours un fusil.

Vers la fin de l'après-midi du deuxième jour, deux hommes en blouse blanche, un calepin à la main, sont apparus dans un petit escalier au fond du gymnase. Les gardes les ont ignorés pendant qu'ils marchaient le long des rangées de femmes et d'enfants. Nous, nous les observions avec inquiétude, pendant qu'ils avançaient en nous examinant avec attention tout en faisant des commentaires en allemand et en prenant des notes. De temps à autre, ils appelaient un garde qui, du bout de son fusil, indiquait à un enfant qu'il devait se lever et monter les marches du petit escalier.

Quand ils sont arrivés devant Terezie, ils l'ont regardée rapidement presque en passant, puis ils se sont arrêtés à ma hauteur. L'un d'eux s'est penché pour prendre une mèche de mes cheveux entre ses doigts en murmurant : « Ja. » Il a eu ensuite un petit sourire et a noté quelque chose. Puis il a fait signe à un garde, qui m'a attrapé par la main pour que je me lève et m'a désigné l'escalier.

J'ai simplement dit : « Maman ? » Il faisait très chaud, dans le gymnase, mais d'un seul coup, j'ai eu très froid. Anechka m'a tendu une de ses petites mains.

« Va, Milada, fais ce qu'on te dit. Tu dois leur obéir. »

C'était Babichka qui me parlait, en me désignant du doigt l'endroit où elle avait attaché sa broche, sous mon col. Je l'ai regardée bien en face, pour qu'elle me donne du courage.

« Va, Milada, a insisté Maman. Obéis. Je t'aime. »

Et elle a serré ma main entre les siennes.

J'ai aspiré un bon coup et je suis allée rejoindre la file des enfants au fond du gymnase. Terezie m'a fait un petit signe quand je suis passée devant elle.

Un nazi nous a indiqué qu'il fallait monter les marches et nous a fait pénétrer dans une petite pièce. Deux garçons, plus jeunes que moi, m'ont suivie, ainsi qu'une fille plus âgée. Nous avons retrouvé là une douzaine d'autres enfants de Lidice, dans ce qui semblait être une classe de sciences naturelles. Et j'ai été stupéfaite de ce que j'ai vu.

Pas par les enfants, je les connaissais tous, même s'il n'y avait qu'une seule élève de ma classe : Ruja, qui, selon son habitude, se tenait un peu à l'écart. Non, ce qui m'a frappée, c'est que nous étions tous blonds aux yeux clairs, ce à quoi je n'aurais pas prêté attention si on ne nous avait pas réunis dans la même pièce.

Je n'ai pas eu le loisir de réfléchir beaucoup parce qu'un nazi a hurlé un ordre en allemand. Puis comme personne ne bougeait, il l'a répété. J'ai ressenti une sorte de nausée, comme quand je n'avais pas compris ce que le soldat me criait chez nous. J'ai regardé autour de moi et vu la même expression de stupeur sur le visage des autres.

Aucun ne comprenait ce qu'on voulait que nous fassions et nous nous sommes mis à trembler de peur, alignés le long du tableau noir.

Deux hommes en blouse blanche avec des stéthoscopes autour du cou sont entrés par une autre porte et ils se sont mis à rire et à parler entre eux en allemand, sans se soucier de nous. Puis une femme en uniforme a surgi, qui est venue se planter devant nous. Son visage, très dur, n'exprimait rien.

Les deux hommes qui avaient arpenté le gymnase sont arrivés à leur tour. Peut-être étaient-ils aussi des docteurs. L'un fumait une cigarette, l'autre a bâillé, nous a jeté un bref coup d'œil, puis est allé rire avec les autres. Aucun n'avait l'air de se préoccuper de ce qui nous était arrivé depuis deux jours, pas plus du fait que nous ne comprenions pas l'allemand et ne savions donc absolument pas ce qu'on nous demandait de faire.

« Qu'est-ce que tu crois qu'ils veulent ? ai-je chuchoté à une petite fille debout à côté de moi, qui devait avoir six ans.

— Je ne sais pas, a-t-elle répondu, l'air affolée.

— Déshabillez-vous ! Tout de suite ! » a finalement hurlé en tchèque la femme en uniforme. Elle s'est approchée de notre petit groupe pour nous attraper à tour de rôle par le bras et nous mettre en rang.

« Déshabillez-vous ! » a-t-elle répété. Et elle a brutalement baissé le pantalon d'un petit garçon. Nous avons alors commencé à ôter nos vêtements, terrorisés à l'idée de ce qu'on risquait de nous faire si nous n'obéissions pas.

J'ai enlevé ma blouse et ma jupe, en m'efforçant

de garder les yeux fixés sur une affiche au mur d'en face, tellement j'avais honte. Même mon frère ne m'avait jamais vue sans mes vêtements. J'ai plié toutes mes affaires, les ai posées à mes pieds, bien pliées, et j'ai attendu.

Quand nous avons tous été nus, la femme nous a divisés en quatre files et chacun des quatre hommes en blouse blanche a commencé à nous examiner, en nous indiquant que nous devions être vus successivement par chacun d'eux.

Celui qui était au début de la première file m'a demandé mon nom. J'ai répondu à voix basse : « Milada Krabicek. » Il a hoché la tête et noté quelque chose. Puis il m'a examiné la bouche, le nez et les yeux, avec des instruments comme ceux que j'avais vus chez notre docteur. Il a écouté mon cœur avec son stéthoscope, m'a demandé de tousser, puis a passé un doigt le long de mon dos et encore écrit quelque chose. J'ai alors eu un peu moins peur. Ce n'était qu'une sorte de visite médicale, comme j'en avais déjà eu, après tout.

Mais quand je suis passée dans la deuxième file, les choses ont changé. Ce docteur-là portait aussi une blouse blanche et avait aussi un stéthoscope autour du cou, mais il ne semblait s'intéresser qu'à mes cheveux. Il m'a fait aller contre le mur, où étaient collées des images représentant des chevelures de différentes couleurs. Ensuite, il a pris une longue planchette à laquelle étaient attachées plusieurs mèches blondes. Il a soulevé une de mes nattes pour la rapprocher de ces mèches, puis a écrit quelque chose. J'ai eu brusquement envie de saisir les ciseaux posés sur une table, tout près, et de couper mes deux nattes. La façon dont cet homme les tripotait ne me plaisait pas du tout.

Le docteur de la troisième file avait étalé devant lui plusieurs instruments métalliques bizarres. L'un d'eux m'a fait penser à la pince à sucre dont Maman se servait dans les grandes occasions. Mais celle-là se terminait par deux petites pointes. Le docteur les a posées de chaque côté de mon nez et les a serrées légèrement. Il a ensuite mesuré sa longueur. Quelle importance cela pouvait-il bien avoir pour un examen médical ? En tout cas, il a écrit quelque chose après. Puis il a pris un autre instrument, qui ressemblait à deux aiguilles à tricoter avec entre elles un morceau de métal, qu'il a appuyé contre mon front.

« Parfait ! » a-t-il dit en tchèque, en griffonnant vite encore quelque chose. La femme nazie se trouvait à côté de nous et, après avoir échangé un regard satisfait, ils m'ont souri. J'ai détourné les yeux. Je ne savais pas ce que j'avais bien pu faire pour leur plaire, mais moi, ça ne me plaisait pas.

Le docteur de la quatrième file était petit, gros et chauve et lui aussi m'a souri quand mon tour de passer devant lui est arrivé. Il semblait ne s'intéresser qu'à mes yeux qu'il a comparés à des billes de couleurs fixées sur une sorte de règle, jusqu'à ce qu'il trouve exactement la même teinte. Il a eu alors l'air très satisfait et m'a dit que je pouvais m'en aller. La femme nazie m'a indiqué d'aller me rhabiller.

Je me suis dépêchée de redescendre tout de suite dans le gymnase. Là, rien ne semblait avoir changé. Les nazis patrouillaient toujours. Les femmes et les enfants attendaient, assis sur leurs couvertures. Je me suis retenue pour ne pas courir jusqu'à Maman, Babichka et Anechka.

« Milada ! » a chuchoté Terezie en me serrant la main au passage. Et Anechka a tendu sa petite patte pour me toucher la joue quand je me suis effondrée près d'elle, tellement soulagée d'être revenue. Je tremblais sans pouvoir m'arrêter. Babichka m'a attirée contre elle et Maman m'a caressé les cheveux. J'ai raconté à voix basse : « Il y avait quatre docteurs. Ils ont écouté mon cœur, regardé l'intérieur de ma bouche, puis examiné mes cheveux et mes yeux, mesuré aussi mon nez. On vous a fait ça à vous aussi ?

— Non, Milada, a répondu doucement Maman.

— Tu sais, ai-je repris, ça ne m'a pas plu quand ils m'ont touché mes nattes. Et tous les enfants là-bas étaient blonds. »

J'ai vu Maman et Babichka échanger un regard.

« Peut-être qu'ils vous examinaient pour vérifier si vous étiez en assez bonne santé pour aller dans un camp de travail, a dit Babichka.

— Mais... mais... Ça signifie qu'on ne va pas rentrer à la maison ? »

J'avais une grosse boule dans la gorge et du mal à parler.

« Je ne sais pas, Milada, je ne sais pas », a dit tout bas Babichka. Elle ne me regardait plus.

*
* *

Nous sommes restés dans le gymnase encore ce soir-là, la nuit et une partie du lendemain. La tension est montée. Le foin, qui sentait bon à notre arrivée, dégageait maintenant une odeur âcre – celle de notre peur et de notre angoisse. Tout le monde commençait à s'énerver.

« Je veux voir mon mari ! a gémi tout haut Mme Janecek. Et mes trois fils. J'en ai assez d'attendre, d'attendre, d'attendre encore. »

Moi aussi j'en avais assez de compter et recompter les fenêtres et les ballons, de faire semblant de préparer la fête d'anniversaire de Terezie, de chuchoter avec nos voisines. J'étais tellement fatiguée. Je portais les mêmes vêtements depuis trois jours. Nous n'avions pratiquement rien eu à manger. Maman commençait à me gronder si je restais trop longtemps près de Terezie. Et même Anechka s'agitait beaucoup. Je me disais que je ne supporterais pas une journée de plus ici.

Finalement, au matin, quand le soleil a commencé à luire derrière les hautes fenêtres, les nazis ont commencé à hurler des ordres.

Tout le monde s'est mis à rassembler ses affaires. Maman m'a dit de me lever, pour qu'elle puisse prendre la couverture d'Anechka : « On s'en va, Milada. »

J'ai éprouvé un vif sentiment de soulagement. C'est cela que je voulais par-dessus tout, partir, pouvoir bouger, marcher, aller retrouver Papa et Jaro, peut-être même enfin dormir dans mon lit. D'un seul coup, je me suis sentie toute gaie et j'ai aidé Babichka à ôter le foin qui restait accroché à sa robe. Nous arrivions peut-être enfin à la fin de ce cauchemar.

Un des gardes a brusquement crié autre chose, toujours en allemand et Maman s'est pétrifiée sur place, le visage tendu.

« Qu'est-ce qu'il a dit, qu'est-ce qu'il veut ? ai-je demandé, frustrée de ne pas comprendre.

— Il dit que nous partons tous vers un camp de travail pour retrouver nos maris et nos fils, mais que les enfants voyageront à part, dans un car plus confortable. »

Elle s'est mordu la lèvre inférieure et j'ai senti mon estomac se crisper. Je me moquais bien de voyager plus confortablement. Je voulais rester avec Maman, Babichka et Anechka. J'ai saisi la main de Maman. Autour de nous, les mères serraient leurs enfants contre elles. Et une fois de plus, nous avons attendu.

Puis un nazi a empoigné une petite fille.

« Non, non, pas mon bébé ! » a hurlé sa mère. Aussitôt, cela a été le chaos. Tout le monde criait et pleurait en même temps, jusqu'à ce qu'un nazi tire en l'air. Aussitôt, le silence s'est fait et il a expliqué lentement, à voix très haute, que personne n'avait le choix. Chaque soldat s'est mis en position, fusil braqué sur nous.

Babichka m'a embrassée sur le front et a touché du doigt l'endroit où j'avais épinglé sa broche, sous mon col. Puis Maman m'a étreinte très fort : « Je t'aime, Milada.

— Je t'aime aussi, Maman. »

Au même instant, j'ai senti qu'on me prenait par la taille et qu'on m'arrachait à ma famille. J'ai hurlé : « Non ! » Mais mes pieds ne touchaient plus terre et j'ai eu beau tendre les bras, je m'éloignais de plus en plus, comme Papa quand il avait dû lâcher la main de Maman.

Le soldat qui me portait m'a fait sortir du gymnase et je me suis retrouvée dehors, d'abord sous le soleil puis à l'intérieur d'un car. Il ne semblait y avoir dedans que deux femmes nazies, un chauffeur et une seule petite fille qui me dévisageait. C'était Ruja.

Mes jambes flageolaient, je me sentais incapable de bouger. Où étaient les autres ? Je regrettais tellement de ne pas parler allemand, j'aurais voulu expliquer qu'il devait y avoir une erreur. On nous avait dit que tous les enfants de Lidice voyageraient ensemble. Où étaient Terezie, et Zelenka, et Hana ? Qu'allait-il arriver à Maman, à Babichka et à Anechka ?

L'une des deux femmes s'est avancée vers moi et m'a fait signe de m'asseoir à l'avant. Je me suis effondrée sur un siège tapissé de velours épais. Au moins, on ne m'obligeait pas à m'installer à côté de Ruja.

Le car a démarré et, par la vitre, j'ai vu s'éloigner le monde que j'avais connu jusque-là. La peur m'a envahie à l'idée de ce qui pouvait m'arriver désormais.

3

Juin 1942 :
Puchkau, Pologne

Nous avons roulé pendant des heures. Ruja est restée assise à l'arrière et moi à l'avant, à regarder le paysage défiler. Je n'arrêtais pas de penser à Papa, à Jaro, à Maman, à Babichka, à Anechka. Ils viendraient me chercher, j'en étais sûre. Je n'avais qu'à attendre et faire ce qu'on me dirait. Papa me disait souvent : « Milada, redresse-toi et obéis, s'il te plaît. » Il me le répétait dans les grandes occasions, le premier jour d'école, celui de ma première communion, ou quand mes oncles venaient en visite. « Obéis, s'il te plaît. »

Ces mots me rassuraient. Si je me comportais

bien, si je me montrais obéissante, on me ramène-
rait chez moi et tout cela ne serait plus qu'un
mauvais rêve.

J'ai observé la campagne qui changeait peu à peu.
Je n'étais jamais allée très loin de mon village, seulement jusqu'à Prague. À Lidice, il n'y avait que
des champs, qui s'étendaient de tous côtés. Si on
grimpait sur la petite colline, plutôt une butte, derrière chez nous, on voyait vraiment à l'infini, ou
presque. Mais maintenant, de mystérieuses montagnes bleutées se dessinaient au loin, et nous rou-
lions entre des rangées d'arbres serrés les uns contre
les autres. On aurait dit des sentinelles en train de
monter la garde.

Finalement, j'ai vu surgir devant nous un pan-
neau indicateur sur lequel était écrit POLEN. Une
barrière fermait la route, des soldats en armes
patrouillaient devant. De chaque côté s'élevait un
petit bâtiment et j'ai compris qu'il s'agissait d'un
poste-frontière.

Notre car a ralenti, un des soldats s'est approché,
puis il a fait signe aux autres de dégager le passage.
Il a souri et agité la main en direction de notre
chauffeur et des deux femmes nazies, qui lui ont
répondu. Après quoi, nous avons accéléré et repris
la route.

Nous étions désormais en Pologne.

Je me suis retournée à plusieurs reprises pour voir ce que faisait Ruja, mais elle gardait obstinément le front collé contre la vitre. Une seule fois, nos regards se sont croisés, mais elle s'est vite détournée. Nous n'avions pas envie de parler, en réalité.

Une des nazies m'a apporté un morceau de pain et quelque chose de chaud et sucré à boire. J'avais tellement faim que j'ai tout englouti presque d'un seul coup.

À la nuit tombée, le car a quitté la grande route pour s'engager sur un chemin de terre plein d'ornières et j'ai vu une pancarte avec l'indication : « Puchkau ». Finalement nous nous sommes arrêtés sur une sorte de parking entouré de fils de fer barbelés. Dans l'obscurité, j'ai deviné la silhouette d'une petite église et des bâtiments tout en longueur. Pour la première fois depuis que nous avions quitté le gymnase, j'ai éprouvé une bouffée d'espoir. Peut-être était-ce le camp de travail où j'allais retrouver les autres enfants de Lidice.

J'ai regardé derrière moi et vu Ruja, le nez toujours collé à la vitre. Puis j'ai entendu du bruit et constaté qu'un autre car venait de s'immobiliser à côté du nôtre. Le cœur battant, j'ai dévisagé chacune des filles qui en sortaient. Mais je n'en n'ai reconnu aucune. Il n'y avait ni Terezie, ni Jelenka, ni Hana.

Une des femmes nazies nous a indiqué de la main que nous devions la suivre, Ruja et moi. Ruja est passée la première, en regardant droit devant elle. Je suis descendue à mon tour, les jambes engourdies d'être restée assise si longtemps sans bouger. Les filles chuchotaient entre elles – je les ai comptées, elles étaient douze – dans une langue que je ne comprenais pas, pas de l'allemand, en tout cas, peut-être du polonais. Et j'ai constaté qu'elles étaient toutes blondes, Ruja aussi, d'ailleurs, ce à quoi je n'avais pas prêté attention avant. S'agissait-il d'une simple coïncidence ?

Certaines étaient blêmes, les yeux rouges et gonflés. Toutes, nous scrutions cet étrange endroit où nous venions d'arriver. Aucune n'a essayé de parler avec nous. J'ai seulement échangé un regard avec l'une d'elles qui avait les plus jolis yeux bleus qu'on puisse imaginer. Je lui ai souri et elle m'a répondu.

Deux nouvelles femmes nazies sont apparues, qui nous ont fait entrer dans un des bâtiments, d'abord dans un vaste hall au plancher bien ciré et aux murs qui semblaient fraîchement repeints, mais où l'on distinguait encore la marque d'une grande croix, sûrement accrochée là précédemment. J'ai pensé à Babichka et à son chapelet.

Puis l'une d'elles nous a accompagnées dans un très long dortoir. Quatorze petits lits y étaient alignés, sept d'un côté, sept de l'autre. On nous a indiqué à chacune lequel serait le nôtre, avant de nous laisser seules. Là aussi, on sentait une odeur de peinture toute récente. Au pied de chaque lit, il y avait un coffre et à la tête une photo de Hitler, le bras levé. Au bout de la pièce, face à la porte, j'en ai vu une autre, presque grandeur nature, et on aurait dit qu'il nous examinait de son regard perçant. Et j'ai remarqué à nouveau la marque d'une croix qui avait sans doute été là avant.

Ruja se trouvait être dans le petit lit à la droite du mien et la fille aux jolis yeux bleus dans celui à gauche. Nous nous sommes assises, soudain écrasées de fatigue, sans trop savoir ce qu'il fallait faire maintenant. J'avais la tête vide, je n'arrivais pas à réaliser ce qui m'arrivait.

Nous sommes restées silencieuses un long moment, puis Ruja a finalement déclaré :

« Tu sais que je ne t'aime pas, Milada. »

J'ai hoché la tête. Je ne l'aimais pas, moi non plus. Elle a poursuivi :

« Je ne sais pas ce qui se passe, mais je ne devrais pas être ici. Il s'agit d'une erreur.

— Oui, sûrement.

— D'une terrible erreur. »

Nous avons été interrompues par l'arrivée d'une femme en uniforme qui nous a fait nous mettre debout et exécuter le même salut que Hitler. Nous devions nous placer face à la grande photo, au fond de la pièce. Quand j'ai levé le bras, j'ai frissonné en pensant à Babichka. Qu'aurait-elle dit si elle m'avait vue, moi, sa petite-fille, en train de saluer l'homme qu'elle considérait comme le diable en personne, et en plus, dans un lieu où il y avait eu auparavant des croix ?

J'ai tendu le bras comme on me l'indiquait, mais j'ai refusé de regarder Hitler en face. Cette fois, je ne suivais pas le conseil de Papa me disant d'obéir aux ordres.

Au bout d'une longue minute, nous avons eu le droit de baisser le bras. Puis on nous a distribué à chacune une chemise de nuit qui sentait l'amidon. Comme je ne m'étais ni lavée ni changée depuis quatre jours, j'ai apprécié le confort du frais tissu sur ma peau. J'ai soigneusement plié mon chemisier et ma jupe, comme Maman me l'avait appris et les ai posés au pied de mon lit. Puis je me suis couchée. Notre gardienne est partie, après avoir éteint la lumière.

Et soudain, je me suis rappelé la broche de Babichka. Vite, je me suis relevée, l'ai cherchée sous mon col et l'ai épinglée à l'ourlet de ma chemise de nuit. J'ai chuchoté : « Babichka », en essayant de ne pas me mettre à pleurer.

Tout autour de moi, j'entendais des filles sangloter dans le noir.

« Milada ? a demandé Ruja d'une petite voix.

— Oui ?

— Qu'est-ce que tu crois qui se passe ?

— Je ne sais pas. »

Après quoi, elle n'a plus rien dit. Je ne savais plus où j'en étais, je sentais mes dernières forces m'abandonner. Où se trouvaient Maman, Anechka et Babichka ? Pourquoi n'étais-je pas restée avec elles ? Tout ce que je voulais, c'était m'endormir et me réveiller dans mon lit, dans ma maison, à Lidice, à temps pour aller fêter l'anniversaire de Terezie.

Après le foin et le sol si dur du gymnase, le petit lit paraissait très confortable. J'ai touché du doigt la broche de Babichka et finalement j'ai pleuré, pleuré dans mon oreiller. Puis j'ai fermé les yeux.

*
* *

Le jour n'était pas encore levé, le lendemain, quand j'ai été réveillée par de la musique et j'ai d'abord cru que c'était l'hymne national tchèque, que nous écoutions souvent à la maison sur notre phonographe. Je savais les paroles par cœur.

« Où est ma patrie ? Dans ma patrie,
L'onde murmurante coule par les prairies,
Des forêts bruissent sur les rochers,
Des jardins au printemps resplendissent de fleurs,
Et ce paradis terrestre,
C'est ma patrie, la terre de Bohême. »

Mais j'ai vite réalisé que ce n'était pas cela du tout. Je n'étais pas chez moi, j'entendais une chanson en allemand et dans le lit à côté du mien, il n'y avait pas Anechka en train de babiller, mais Ruja qui pleurait. Stupéfaite, je me suis redressée et tournée vers elle. Elle était assise, les mains crispées sur sa chemise de nuit et a chuchoté :

« Oh, Milada ! Oh, Milada ! »

Cette fois, elle n'évitait plus mon regard.

J'ai vite répondu tout bas :

« Cela va aller, Ruja, cela va aller, mais j'avais peur de me mettre à sangloter à mon tour et de ne plus pouvoir m'arrêter.

— Je ne comprends pas ce qui se passe », a-t-elle ajouté, et j'ai eu juste le temps de dire : « Moi non plus », quand les deux gardes qui nous avaient désigné nos lits la veille ont surgi dans la pièce et nous ont fait signe de nous lever et de nous habiller.

Nous étions maintenant toutes réveillées mais nous bougions comme au ralenti. Je me sentais lourde, lasse, j'aurais tellement voulu me recoucher et dormir encore.

J'ai cherché mes vêtements au pied de mon lit, mais ils avaient disparu. À la place, j'ai trouvé une chemisette blanche à manches courtes, une jupe bleu marine et un foulard noir qui s'attachait devant avec une broche représentant un aigle aux ailes déployées tenant entre ses serres une petite croix gammée. Je n'y comprenais rien. Où étaient mes affaires ? Pourquoi me les avait-on prises ? J'ai touché du doigt le bijou de Babichka. Heureusement, je l'avais épinglé à ma chemise de nuit. Vite, je l'ai caché dans l'ourlet de ma jupe, de façon que personne ne puisse le voir. Je me suis dit que je devais toujours le garder sur moi.

Pendant qu'elles s'habillaient, les autres filles se parlaient entre elles dans la même langue que la veille. Elles étaient toutes blondes. Très blondes. Elles devaient avoir à peu près le même âge que moi sauf une, beaucoup plus petite, à peine plus de cinq ans. Assise sur le lit en face du mien, elle s'est mise à pleurer parce qu'elle n'arrivait pas à boutonner sa chemisette. Une plus grande s'est vite penchée vers elle pour l'aider et lui a murmuré quelque chose à l'oreille, ce qui a semblé la calmer. Elle a même eu un pauvre sourire.

Les deux gardes nous ont alors conduites dans une pièce très haute de plafond, un réfectoire, semblait-il, avec une longue table au milieu et plusieurs petites le long d'un mur. On nous a indiqué à chacune une chaise, mais avant de pouvoir nous asseoir, il a fallu faire le salut hitlérien. Après quoi, nous avons pris place. Le couvert était mis avec des tasses en porcelaine et des serviettes en toile fine. Une dame en tablier a placé devant nous des bols fumants, remplis de bouillie de céréales très sucrée, et des petits pains beurrés. J'avais tellement faim que je me suis littéralement jetée sur cette nourriture et ai tout dévoré sans m'arrêter. Les autres filles en ont fait autant. On n'entendait que le bruit des cuillers raclant les bols. On ne semblait pas souffrir de rationnement, dans cette maison... Mais brusquement, j'ai pensé à Terezie et au gâteau d'anniversaire qu'elle aurait tellement voulu avoir et j'ai senti une grosse boule se former dans ma gorge.

Après le petit déjeuner, on nous a conduites dans une autre salle, une sorte d'auditorium avec une estrade, sur laquelle nous attendait une des nazies de la veille au soir. Elle était plutôt jolie, le teint clair, le nez finement dessiné. Elle portait un chemisier bleu clair, une jupe droite, bleue, elle aussi, et une grosse tresse blonde encadrait sa tête.

« Jeunes demoiselles qui êtes notre avenir », a-t-elle déclaré – et j'ai été tellement contente de l'entendre s'exprimer en tchèque. Enfin je pouvais comprendre ce qu'une nazie disait. Puis elle a ajouté quelque chose dans la langue des autres filles, avant de reprendre en tchèque :

« La mort de vos parents pendant un bombardement allié a été une tragédie. »

D'un seul coup, j'ai revu les soldats en train d'envahir notre salon. J'ai senti les mains qui m'empoignaient quand on m'a séparée de Maman. Cette femme ne savait-elle donc pas ce qui s'était vraiment passé ? Il n'y avait pas eu de bombardement. C'étaient des nazis comme elle qui m'avaient enlevée.

Ruja m'a jeté un regard perçant que je n'ai pas su décrypter. La nazie a repris :

« Vous avez le bonheur d'avoir été choisies en tant qu'aryennes, filles de Dieu, pour servir le Führer et sauver le monde de la pourriture juive. »

« Aryennes », « Juive »... J'ai eu l'impression que ces mots-là ricochaient dans ma tête. Je savais seulement qu'on avait forcé les Juifs à porter une étoile jaune et j'ignorais ce que « aryen » ou « aryenne » signifiait. Pourquoi cette femme disait-elle que j'étais « aryenne » ?

J'ai regardé autour de moi. Sur chaque mur était accroché un portrait de Hitler, une bougie rouge allumée devant, encadré d'affiches représentant des petites filles avec le même uniforme que nous.

Je me suis rappelé le jour où nous étions allés à l'église ensemble, Babichka, Jaro et moi, le lendemain de l'invasion de la Tchécoslovaquie. Sous le porche, quelqu'un avait collé une photo de Hitler. En la voyant, les yeux de Babichka s'étaient écarquillés, puis durcis. Je ne la savais pas capable d'une telle expression de fureur. Très droite, elle s'était dirigée vers la photo, pour l'arracher, puis la déchiqueter en menus morceaux.

« Babichka, c'est illégal ! » s'était exclamé Jaro en la tirant par une main. Puis nous étions entrés dans l'église, tandis que les bouts de papier voletaient derrière nous.

« Ici, dans ce centre, a repris la nazie en tchèque, en ouvrant grand les bras, vous allez apprendre tout ce que vous devrez savoir pour devenir de parfaites jeunes filles allemandes. On vous donnera tout ce dont vous aurez besoin. Le moment venu, vous partirez remplir vos obligations d'épouses et de mères allemandes. Heil Hitler ! »

Un des gardes qui était resté près de la porte nous a alors indiqué avec son fusil que nous devions faire le salut hitlérien.

Puis une autre nazie est arrivée, qui nous a alignées au pied de l'estrade. Elle aussi était en bleu et ses cheveux blonds étaient impeccablement tressés. Elle avait un regard vif. Celle qui nous avait parlé s'est approchée à son tour et, se désignant du doigt, a dit : « Fräulein Krüger. » Et elle nous a demandé de répéter son nom. Après quoi, elle est passée devant nous, en nous donnant un nouveau prénom à chacune :

« Franziska ! » s'est-elle exclamée en posant la main sur la tête de Ruja.

Nous avons toutes dû dire : « Franziska. »

Après, cela a été mon tour :

« Eva ! E-va ! » a-t-elle prononcé très distinctement, la main également sur ma tête.

J'ai frissonné en entendant ce nom étranger résonner dans la pièce. Je ne m'appelais pas Eva, et Ruja ne s'appelait pas Franziska. Mon nom, c'était Milada, comme ma grand-mère et sa mère avant elle.

« Non, ai-je rétorqué à voix haute. Je m'appelle Milada.

— *Nein !* » a hurlé Fräulein Krüger.

Et elle m'a giflée à toute volée, en se penchant vers moi au point que nos nez ont failli se toucher. « Nein ! » a-t-elle répété en me saisissant par le menton et en enfonçant ses ongles dans ma peau.

Ma joue me brûlait et j'ai dû avaler un bon coup pour ne pas me mettre à pleurer.

« E-va. »

Elle a pointé un doigt sur ma poitrine. Puis indiquant Ruja, elle a ajouté :

« Franziska ! *Ja ?* »

J'ai fait oui de la tête, en éprouvant une sorte de nausée. Je ne serais plus jamais Milada, celle qui courait plus vite que les autres, celle qui regardait les étoiles, la petite sœur de Jaroslav. Je n'entendrais plus jamais la musique de ma propre langue.

Je n'ai plus vraiment écouté Fräulein Krüger qui continuait à donner un nouveau nom à chacune. J'ai quand même compris que la fille aux jolis yeux bleus s'appellerait désormais Liesel. La petite qui avait eu du mal à s'habiller devenait Heidi. Elle pleurait et tremblait encore un peu. Celle qui l'avait aidée, sa grande sœur, a été rebaptisée Elsa.

Toute une part de moi n'était pas là, pas dans cette grande pièce, mais bien de retour à Lidice, assise sous le gros arbre au fond de notre cour, à écouter les corbeaux et tous les bruits de l'été. Et aussi pieds nus dans le ruisseau qui traversait notre village, l'eau claire et froide m'engourdissant un peu les orteils. J'allais également rendre visite aux vaches placides de Mme Janacek qui aimaient tant que je leur tende du trèfle à mâcher par-dessus la palissade. Je vais rester là-bas, ai-je décidé, dans tous mes souvenirs de Lidice, jusqu'à ce que Maman ou Papa vienne me chercher.

On m'a donné une tape sur l'épaule et j'ai sursauté. En levant les yeux, j'ai vu un garde m'intimer l'ordre de suivre les autres filles. On nous a fait visiter tout le bâtiment. C'est Fräulein Krüger qui était notre guide, très souriante, et elle a parlé allemand tout le temps. Outre le dortoir, le réfectoire et l'auditorium, il y avait des salles de classe et un gymnase. Dehors, elle nous a indiqué les rangées de barbelés qui entouraient le centre entier, y compris la petite église aperçue la veille. Elle s'exprimait maintenant d'une voix sèche et elle n'a plus souri du tout en nous précisant très clairement que ce n'était pas un endroit d'où on pouvait s'enfuir. Personne ne se sauvait d'ici.

Nous sommes retournées vers le bâtiment principal en silence. J'ai cherché du regard des chemins, des maisons, des gens, à l'intérieur, une route par où Papa pourrait venir. Mais je n'ai vu que des champs et, au loin, des montagnes.

Fräulein Krüger s'est alors adressée à nous en tchèque et nous a précisé que ce serait la dernière fois :

« À partir de maintenant, vous ne parlerez plus que l'allemand, la langue des aryens. Et seulement l'allemand. Si jamais vous désobéissez, vous serez punies. Très sévèrement. »

J'ai écouté les oiseaux en me demandant comment ils pouvaient encore chanter, comment Fräulein Krüger pouvait encore sourire, comment la terre pouvait encore tourner comme si de rien n'était, dans ce lieu qui de toute évidence avait été un couvent, un endroit sacré, et où il se passait maintenant de si épouvantables choses.

Ruja marchait à côté de moi, mais nous n'avons pas essayé de communiquer. Même si nous étions ensemble, nous restions loin l'une de l'autre.

Plus tard, ce soir-là, quand on a éteint les lumières et que les filles ont cessé de chuchoter, j'ai prononcé mon nom tout bas : « Milada, Milada, Milada. » J'ai revu tous les membres de ma famille et je me suis rappelé ce que ma grand-mère m'avait dit : « N'oublie jamais qui tu es, Milada, ni d'où tu viens. Jamais. »

Et j'ai caressé du doigt les petites pierres de sa broche.

4

Été – automne 1942 :
Puchkau, Pologne

haque jour, nous nous levions à l'aube, au son d'une musique que je savais maintenant être l'hymne national allemand. Quand nous étions toutes réveillées, nous devions faire le salut hitlérien devant le portrait du Führer et rester le bras tendu jusqu'à ce que Fräulein Krüger nous dise de nous habiller. Nous trouvions tous les matins, au pied de notre lit, notre uniforme fraîchement repassé et des rubans neufs pour attacher nos nattes. En cachette, j'épinglais vite la broche de Babichka sous mon col, pour être sûre de ne pas la perdre, et j'allais dans la salle à manger avec les autres.

Le petit déjeuner était toujours délicieux et très copieux, avec du vrai sucre, des fruits et parfois même de la viande. On nous apprenait, pendant le cours d'économie domestique, qu'il est important de bien se nourrir, parce que des Allemands en bonne santé permettent à l'Allemagne d'être plus forte. Je n'avais pas vu autant de bonnes choses depuis longtemps. Nous étions aussi bien vêtues et on peut dire que les nazis prenaient grand soin de ne jamais nous laisser manquer de rien. Fräulein Krüger et toutes les femmes qui s'occupaient de nous se montraient très amicales à notre égard – du moins en apparence, car on sentait toujours chez elles une sorte de sécheresse, de distance.

Après le petit déjeuner, il y avait classe et, au début, nous avons eu uniquement des cours d'allemand, du matin jusqu'au soir. Désormais, plus personne ne s'adressait à nous autrement qu'en allemand. Si nécessaire, on avait recours à des gestes. Nous n'avions pas oublié l'avertissement comme quoi nous serions sévèrement punies si nous utilisions autre chose que « la véritable langue des aryens ».

Et tout au long des premières semaines passées dans ce « centre », nous avons, pendant des heures, appris à prononcer correctement des mots en allemand. Notre professeur, Fräulein Schmitt, était toujours très gaie mais on sentait qu'elle prenait son travail très au sérieux. Elle avait une façon bien à elle de serrer les lèvres, quand elle n'était pas satisfaite. « *Kin-der !* » aboyait-elle en tapant sur son bureau avec sa règle.

« Kin-der ! » répétions-nous, et on voyait ses petits yeux aller d'une élève à l'autre, pour traquer celle qui ne s'exprimait pas correctement.

La meilleure élève, c'était Franziska, qui apprenait très vite et semblait beaucoup aimer les leçons. Et elle ne manquait jamais de relever les erreurs des autres. Dès que l'une d'entre nous faisait une faute, elle levait la main : « Oui, Franziska ? disait Fräulein Schmitt.

— Excusez-moi, mais je crois que ce n'est pas comme cela qu'on prononce. »

Et dans un allemand parfait, elle s'empressait de corriger l'accent de l'une d'entre nous.

« Oui, oui, tu as raison, Franziska, tu es tellement douée ! »

Les compliments pleuvaient sur elle. C'était vrai qu'elle travaillait beaucoup et avait toujours les meilleures notes. Les professeurs l'admiraient car elle se pliait en outre à toutes les règles et ne critiquait jamais rien. Elle a vite été leur chouchoute et certaines élèves ont fait en sorte d'être toujours assises à côté d'elle, pour se faire remarquer en bien, elles aussi.

Contrairement à Franziska, j'ai eu du mal à apprendre l'allemand, surtout en ce qui concerne la grammaire et l'ordre des mots. Je mélangeais encore tout avec le tchèque, la langue dans laquelle j'avais été élevée. Et je n'arrivais pas à démêler les deux.

Un soir, après une journée de cours particulièrement difficiles, j'ai pleuré de frustration. « Je hais l'allemand, je hais les nazis ! ai-je sangloté tout bas.

— Eva, a dit doucement Franziska, dans le lit à côté du mien, l'allemand est la véritable langue des aryens. La seule.

— Mais… mais… »

À cet instant, j'ai vu apparaître la gardienne qui faisait sa ronde du soir. J'ai fermé les yeux et fait semblant de dormir, sans finir ma phrase. Ce que j'avais commencé à dire, c'est que nous n'étions ni allemandes ni aryennes.

*
* *

Heidi, la plus jeune d'entre nous, qui se trouvait là avec sa sœur, avait encore plus de mal que moi à suivre les cours. Un jour du mois d'août, pendant la classe d'allemand, Fräulein Schmitt nous a accordé une pause de dix minutes. Nous avions toutes trop chaud, nous étions fatiguées après une longue série d'exercices. Les fenêtres étaient ouvertes et quelques ventilateurs tournaient, mais ils ne faisaient que brasser de l'air brûlant. Nous avions les nerfs à fleur de peau.

Heidi et sa sœur Elsa discutaient avec leurs voisines, Siegrid et Gerde. Elles parlaient des différentes façons de se rafraîchir un peu. Gerde et Siegrid prétendaient que les ventilateurs ne servaient à rien. Heidi et Elsa disaient que si.

« Les pales ne refroidissent rien du tout, elles tournent, c'est tout », a insisté Gerde dans un allemand presque parfait. Fräulein Schmitt, qui écoutait à l'autre bout de la pièce, a souri.

« Nein. Quand l'air est brassé, il devient plus frais », a protesté Elsa. Elle s'exprimait elle aussi dans un excellent allemand et a donc également eu droit à un sourire. Heidi s'agitait sur sa chaise, très désireuse de se mêler à la conversation et de dire ce qu'elle pensait. Mais quand elle l'a fait, elle a utilisé des mots que je n'ai pas compris. Tout le monde s'est tu dans la classe et l'a regardée. Franziska s'est dressée, les yeux écarquillés.

Heidi avait parlé en polonais.

« Heidi ! » a hurlé Fräulein Schmitt. Puis elle a

traversé la classe, comme un faucon qui va fondre sur sa proie. Personne n'a bougé. Elle s'est jetée sur Heidi, l'a arrachée de son siège d'une main et, de l'autre, sous notre regard à toutes, elle a relevé sa jupe et baissé sa culotte. Puis avec sa règle, elle a frappé cinq fois la peau nue de Heidi, le bruit des coups se répercutant atrocement dans la pièce. Quand elle a eu fini, elle a lâché la petite, qui s'est effondrée par terre, puis, les bras croisés, elle l'a observée qui se relevait et se rhabillait précipitamment.

Ce soir-là, de terribles marques rouges sont apparues sur les cuisses et les fesses de Heidi. Ses pleurs nous ont empêchées de dormir, tandis que Elsa essayait de la réconforter.

L'entendre sangloter ainsi m'a mise en rage. Qui étaient donc ces gens, ces nazis ? Pourquoi voulaient-ils que je devienne comme eux, que je parle leur langue, que je porte leur uniforme, que j'exécute leur salut ?

Je savais que Papa et Maman finiraient par venir me chercher. Et ce jour-là, nous serions contents de tous regarder Heidi en train de donner des coups de règle à Fräulein Schmitt, avant de rentrer chez nous. Je n'oublierais pas d'emporter suffisamment de sucre pour pouvoir faire un gros gâteau et célébrer la défaite des nazis.

*

* *

Dès que nous avons su bien nous exprimer en allemand, les leçons ont changé. Désormais, nous devrions étudier l'histoire de l'Allemagne et apprendre l'économie domestique. Fräulein Krüger elle-même est venue nous parler de la Ligue des jeunes filles allemandes, une organisation nazie pour les filles, et des Jeunesses hitlériennes, destinées, elles, aux garçons. Nous étions encore trop jeunes pour nous y inscrire officiellement, mais nous devions nous inspirer de leur philosophie et de leurs activités dans tout ce que nous faisions. C'est pendant ce cours-là que j'ai finalement compris ce que signifiait le mot « aryen » et pourquoi nous étions ici toutes blondes aux yeux clairs.

Peu après, Fräulein Haugen s'est présentée comme notre professeur d'histoire. Dès la première leçon, elle a annoncé qu'elle allait nous enseigner comment l'Allemagne avait été tragiquement persécutée après la Première Guerre mondiale : « Vous apprendrez aussi la façon dont notre glorieux Führer a sauvé notre pays, a-t-elle poursuivi, et pourquoi vous, parce que vous appartenez à la race aryenne, êtes très supérieures aux autres, particulièrement aux Juives, qui ne valent pas mieux que les rats qui courent dans les rues. »

Aryen, aryenne. Fräulein Haugen a répété ces mots-là à de nombreuses reprises. Elle nous a expliqué que le fait d'être blondes aux yeux clairs montrait que nous étions des aryennes, et que Hitler estimait la race aryenne supérieure dans tous les domaines.

« Vous saurez bientôt, jeunes aryennes élues, comment vous contribuerez à sauver l'Allemagne. »

Tout en parlant, elle marchait de long en large dans la classe, en faisant claquer les talons de ses chaussures noires sur le parquet.

« Vous êtes toutes très importantes, a-t-elle ajouté, en s'arrêtant devant Franziska, dont elle a caressé les cheveux. Quand vous partirez vivre dans l'univers allemand, vous aiderez Hitler à rendre à l'Allemagne sa grandeur d'autrefois. »

Franziska, qui la dévorait des yeux, a acquiescé de la tête. J'ai tiré sur une de mes mèches et l'ai contemplée. Jaro, en riant, disait qu'elles étaient « couleur paille » et Papa prétendait que « le soleil les avait embrassées ». C'était donc bien à cause de la couleur de mes cheveux que j'étais arrivée ici.

Quelques jours après, en entrant dans la salle, nous avons découvert un projecteur. Je n'étais allée que très rarement au cinéma et je n'ai pas pu m'empêcher d'être excitée à l'idée de voir un film.

« Ce que vous allez regarder, a annoncé Fräulein Haugen en installant la première bobine, vous aidera à mieux comprendre votre héritage aryen et le poison représenté par les Juifs. »

J'ai senti mon estomac se contracter. Je ne comprenais pas pourquoi Hitler haïssait autant les Juifs. Il n'y en avait pas, à Lidice, et je ne savais rien, ni de leurs croyances ni de leurs traditions. Comment auraient-ils pu être la cause des malheurs qu'on leur attribuait ?

Nous avons passé l'heure qui a suivi à regarder des Juifs qu'on comparait à des rats et des caricatures de Juifs avec de gros nez. Nous avons vu également des images de la famille allemande idéale, dont tous les membres étaient blonds aux yeux bleus et jouaient gaiement ensemble dans un parc. Tout cela semblait convaincant, mais parce que c'étaient des nazis qui le disaient, je ne voulais pas le croire.

« Ce soir, je vous demande de lire les deux premiers chapitres de votre livre sur les races, a annoncé Fräulein Haugen à la fin du cours. Cela vous permettra de bien vous pénétrer de l'importance attachée à la race dans l'univers hitlérien et d'apprécier à sa juste valeur l'idéal aryen. »

Après le dîner, Franziska s'est installée sur le lit de Siegrid et toutes les deux se sont mises à lire, en faisant leurs commentaires et, par moments, en se tordant de rire. J'ai essayé de me concentrer sur mon travail et de ne pas les écouter. Les voir si contentes d'être ensemble m'emplissait d'une terrible nostalgie, parce que cela me faisait penser à Terezie.

« Je peux m'asseoir à côté de toi ? » a demandé une petite voix.

J'ai levé les yeux et vu Liesel, debout devant moi. D'abord surprise, j'ai vite répondu :

« Bien sûr ! »

Nous avons lu en silence pendant quelques minutes. Sur les premières pages, il y avait des dessins et des tableaux comparatifs des différentes tailles de nez qui existent, ainsi que la liste de toutes les particularités physiques nécessaires pour incarner l'idéal allemand. Sur une image, j'ai reconnu les instruments métalliques dont s'étaient servis les médecins qui m'avaient examinée à Kladno.

« Non ! s'est exclamée Liesel, puis elle a regardé autour d'elle, pour s'assurer qu'à part moi personne ne l'avait entendue.

— Pardon ? lui ai-je demandé.

— Cela n'a aucun sens. Qu'est-ce que ça peut bien changer d'avoir un nez plus ou moins long ? »

Elle prenait soin maintenant de chuchoter. Je l'ai dévisagée un instant avant de lui répondre. Je pensais exactement la même chose qu'elle mais j'avais cru être la seule dans ce cas.

« Tu as raison, ai-je finalement dit tout bas. Ça n'a pas l'ombre d'un sens. »

Elle m'a souri et a repris sa lecture. J'ai souri aussi, réconfortée par la pensée que j'avais peut-être désormais une amie.

*
* *

« Dites-moi ce que vous avez appris dans votre livre hier soir », a demandé Fräulein Haugen le lendemain dès le début de son cours. Des mains se sont aussitôt levées et nous avons passé le reste de la journée à discuter les théories raciales de Hitler.

Je n'étais encore jamais allée à l'école tout l'été, sans prendre aucunes vacances En cette fin de saison, il faisait tellement chaud et humide que nous avions du mal à nous concentrer, surtout quand on nous parlait sans arrêt de l'Allemagne, de l'Allemagne et encore de l'Allemagne. Il n'était question que de la gloire de l'Allemagne, de celle du parti nazi, de celle de Hitler. On nous rappelait constamment que nous faisions partie de l'avenir de l'Allemagne.

J'entendais cela si souvent que j'avais du mal à me souvenir que je n'étais pas une nazie, que je ne voulais pas représenter l'idéal aryen, que je haïssais l'Allemagne.

C'est peut-être ce qu'il y avait de plus frappant dans le changement qui s'opérait chez Franziska. Moi, je m'efforçais de me rappeler que je n'étais pas allemande, alors qu'elle semblait adhérer totalement à ce qu'on nous enseignait. Elle travaillait avec beaucoup plus d'ardeur qu'à Lidice et acceptait tout ce qu'on lui disait sans hésitation. On aurait pu croire qu'elle oubliait complètement qu'elle n'était pas allemande.

Un jour, pendant le déjeuner, Gerde et elle ont commencé à se disputer. Elles criaient si fort que Fräulein Krüger est arrivée en courant :

« Mais qu'est-ce qui se passe, les filles ? Pourquoi ces vilains mots ? Qu'est-ce que cela signifie ? »

Elle avait vraiment l'air inquiète. Elle a pris une chaise et fait asseoir les deux coupables en face d'elle.

« Franziska prétend que mon nez n'a pas la bonne taille, a dit Gerde d'une voix tremblante.

— Un nez aryen doit répondre à certains critères », a rétorqué Franziska d'un ton supérieur. Et elle a regardé Fräulein Krüger bien en face dans l'espoir d'être approuvée.

« Les filles, les filles, voyons », a dit celle-ci en se mettant à rire. Puis elle a entouré les épaules de chacune d'un bras, en ajoutant :

« Franziska, je suis ravie que tu te préoccupes à ce point de la pureté de notre race, mais toi, Gerde, tu ne dois pas t'inquiéter. Nous allons vérifier. »

Elle est sortie de la pièce, pour réapparaître un instant après avec l'instrument dont je comprenais maintenant qu'il servait à mesurer les nez. Elle l'a soigneusement posé sur le visage des deux filles à tour de rôle :

« Regarde, Gerde, a-t-elle dit, le tien est un peu plus long que celui de Franziska, mais il reste dans les limites acceptables. »

Gerde a souri.

« Donc, a poursuivi Fräulein Krüger, vous avez raison toutes les deux et il n'y a aucun motif de dispute. Bon, et maintenant, en rang et en classe, tout le monde ! »

Je me suis retrouvée juste derrière Franziska et Gerde qui bavardaient à nouveau gaiement ensemble. Fräulein Krüger ayant décrété que le nez de Gerde était de la longueur qu'il fallait, Franziska pouvait redevenir son amie.

« Encore des histoires de nez. »

Je me suis retournée et ai vu Liesel qui marchait derrière moi. Je n'ai pas tout de suite compris ce qu'elle voulait dire. Elle a insisté : « Ces stupides histoires de nez. Comment peut-on se disputer pour ça ?

— Je suis d'accord avec toi.

— Parfait. En ce cas, pas besoin de mesurer le tien ou le mien pour savoir si on peut être amies. »

Et elle m'a fait un petit clin d'œil en s'asseyant à la place à côté de la mienne.

*
* *

Cet après midi-là, nous suivions un interminable cours d'arithmétique, particulièrement ennuyeux. La voix terne, aux intonations monotones de Fräulein Müller, notre professeur, ne nous aidait pas du tout à nous concentrer. Depuis peu, je cachais systématiquement la broche de Babichka dans l'ourlet de ma jupe, plutôt que sous le col de mon chemisier, ce qui me permettait d'y toucher, sans que personne le remarque. J'ai commencé à la caresser d'un doigt et me suis prise à rêver un peu.

Il faisait lourd, dehors, et le ronron morne de Fräulein Müller m'a soudain rappelé les interminables exercices au piano que Maman m'obligeait à répéter l'été précédent. Étant elle-même une excellente pianiste, dotée en plus d'une jolie voix, elle insistait pour que je travaille mes gammes et mes accords pendant des heures. Malheureusement, je n'étais pas douée du tout pour la musique et son espoir de me voir devenir une bonne exécutante s'évanouissait peu à peu. En outre, il était clair que tout cela m'ennuyait beaucoup.

Un jour particulièrement chaud, j'ai soudain vu la tête de Papa et celle de Jaro apparaître à la fenêtre ouverte, tandis que je m'escrimais sur mon clavier.

« Milada, viens donc dehors avec nous ! » m'a dit Jaro.

J'ai arrêté de jouer et protesté à mi-voix :

« Tu sais bien que je ne peux pas. Maman serait furieuse, je suis censée travailler. »

Papa a eu un large sourire :

« Ta maman est partie prendre le thé chez Mme Janecek. »

Je n'avais pas besoin d'un autre encouragement. Vite, j'ai grimpé sur le rebord et sauté à l'extérieur, droit dans les bras de Jaro. Nous avons passé l'heure qui a suivi assis dans un champ, à regarder les nuages et à mâchonner des épis de blé. J'ai profité de ce bon moment pour dire à Papa que, vraiment, je n'aimais pas du tout le piano. Peu de temps après, Maman m'a annoncé qu'on arrêtait les leçons et, même s'il ne m'en a jamais rien dit, j'ai eu l'impression que c'était lui qui l'avait convaincue que mieux valait en rester là.

En repensant à cet après-midi, j'ai soudain senti les larmes ruisseler sur mes joues. Quand donc reverrais-je mon père et mon frère ?

« Ensuite, il faut… »

Fräulein Müller s'est interrompue au début de sa phrase et m'a dévisagée. Les autres élèves, soudain plus attentives, ont toutes tourné la tête pour voir qui elle regardait ainsi. Je me suis redressée sur ma chaise, en essayant désespérément de m'arrêter de pleurer. J'avais peur d'être battue comme Heidi.

Fräulein Müller est allée prendre un mouchoir dans le tiroir de son bureau et est venue me l'apporter, tout en reprenant : « … Il ne faut pas se tromper en additionnant les chiffres pour arriver au bon résultat. »

Cet été-là, il y avait souvent des crises de larmes, chez nous. Certaines filles se mettaient à pleurer dès le réveil. D'autres gardaient les yeux secs mais semblaient perdues, ailleurs. On ne manquait jamais de nous tendre des mouchoirs propres, dès qu'il le fallait, mais on ne semblait pas tenir compte de notre tristesse, nous n'avions pas droit au moindre geste de réconfort. Aux yeux de nos geôlières, le chagrin était une faiblesse qu'on ne devait en aucun cas tolérer. Nous étions, après tout, l'espoir et l'orgueil de l'Allemagne, les enfants choisis par Dieu pour sauver le monde de la présence des Juifs.

J'apprenais peu à peu à dissimuler des pans entiers de celle que j'étais vraiment : une petite Tchèque, dont la famille attendait le retour quelque part. Le jour, je l'enfermais dans une boîte, bien à l'abri, et ne la ressortais qu'après m'être couchée. Ensuite, dans le noir, je pouvais passer un moment avec elle. Les journées appartenaient à Hitler, mais les nuits étaient à moi. Je me replongeais dans mes souvenirs, j'écoutais Maman chanter notre hymne national, je revoyais Jaroslav et Papa en train de jouer au ballon et Terezie passer sur son vélo. Je sentais les petits doigts d'Anechka s'accrocher aux miens, tandis que les vieilles mains de Babichka pétrissaient la pâte pour le pain du lendemain. Si je faisais un gros effort, je me représentais encore très bien le visage de ma grand-mère, ses cheveux coiffés en chignon, ses robes toutes simples en tissu à petites fleurs. Mais j'avais de plus en plus de mal à retrouver son rire et même le son de sa voix.

*
* *

En octobre, cela faisait quatre mois que nous étions dans ce Centre et on aurait dit que Franziska

commençait à oublier qui elle était vraiment. À réellement l'oublier. À effacer complètement ce qu'elle
avait pu être auparavant. Autant je m'efforçais de
garder des souvenirs, autant elle voulait ne plus en
avoir du tout.

Elle était la meilleure élève de notre groupe, excel-
lait en tout et devenait une fille aryenne modèle,
comme on nous le demandait. Tout ce qu'on nous
faisait faire l'intéressait, elle avait grandi, pris de
l'assurance.

Heidi, par contre, avait de grosses difficultés et
c'est devenu pire après les coups infligés par Fräulein Schmitt. Elle semblait se recroqueviller sur
elle-même. Elsa, sa sœur, tentait de la protéger, en
lui rappelant constamment ce qu'elle devait faire,
où elle devait aller. Le soir, elle l'obligeait à répéter
des phrases en allemand de la leçon du jour, longtemps après qu'on avait éteint les lumières. Mais
Heidi allait de moins en moins bien. Elle maigris-
sait à vue d'œil et on aurait dit qu'elle ne savait plus
où elle était. Plusieurs fois, elle a mouillé son lit.
Une nuit, nous avons été réveillées par Elsa qui
allait et venait dans la pièce.

« Que se passe-t-il ? » a demandé Franziska en se
redressant sur un coude.

J'ai chuchoté :

« Je crois que Heidi a encore fait pipi au lit.

— Elle ne devrait pas boire autant avant de se coucher, a dit Franziska en s'asseyant complètement.

— Elsa, tu veux qu'on t'aide ? a proposé Gerde.

— Non, non, rendormez-vous », a répondu Elsa d'une voix tendue. Dans l'obscurité, je devinais sa silhouette en train d'ôter les draps du lit de Heidi pour essayer de les faire sécher.

Le lendemain, à la minute où elle est entrée dans la pièce, Fräulein Krüger a compris ce qui s'était passé.

« Encore, Heidi ? » a-t-elle demandé, les lèvres tellement serrées que ses paroles ont ressemblé au sifflement d'un serpent.

Heidi a fait oui de la tête, les yeux rivés au sol. Nous étions toutes debout, bras tendu pour le salut hitlérien, attendant qu'on nous permette d'aller prendre notre petit déjeuner.

« Eh bien, Heidi, eh bien... »

Et sans même procéder à son habituelle inspection du matin, Fräulein Krüger est repartie, après nous avoir distraitement indiqué d'un geste de la main que nous pouvions rompre notre salut.

L'après-midi, ni Elsa ni Heidi ne sont venues en classe.

« Heidi a besoin de cours complémentaires, elle

est partie en suivre dans un camp spécialisé », nous a-t-on annoncé.

Franziska m'a aussitôt jeté un regard triomphant qui signifiait « Je te l'avais bien dit ». Et j'ai été envahie par un tel sentiment de jalousie que j'en ai senti des frissons : peut-être qu'on avait renvoyé Heidi chez elle et qu'elle se trouvait maintenant avec ses parents.

« Je savais bien qu'il fallait absolument faire quelque chose, m'a chuchoté Franziska, assise à côté de moi, sur un ton plein de supériorité. Je suis sûre que c'est un excellent camp. »

Le soir, quand nous sommes allées nous coucher, le lit de Heidi avait disparu. Elsa était assise au bord du sien, les yeux rouges et gonflés. Elle triturait un mouchoir entre ses doigts.

« Oh, Elsa, ne t'inquiète pas, a dit Gerde en lui entourant les épaules d'un bras. Elle reviendra dès qu'elle aura appris tout ce qu'elle a besoin de savoir.

— Non, a répondu Elsa d'une voix désespérée. Non. Elle ne reviendra pas. »

Son intonation m'a glacée et j'ai eu honte d'avoir été jalouse un peu plus tôt.

Les deux jours suivants, Elsa a refusé de se lever et de participer à quoi que ce soit. Au début, Fräulein Krüger s'est montrée indulgente et même compréhensive. Elle a vraiment essayé de persuader

Elsa de reprendre notre routine quotidienne. Mais le troisième jour, elle a perdu patience et le quatrième, elle a décidé de lui administrer une correction. Nous étions toutes debout, une fois de plus, en train de faire le salut hitlérien, tandis qu'un gramophone invisible jouait l'hymne national allemand, quand Fräulein Krüger a frappé Elsa avec une ceinture de cuir. Le bruit des coups se mêlait aux accords de la musique, mais Elsa n'a pas crié, pas proféré un seul son. Elle est restée immobile sur son lit.

Le lendemain, elle est partie, elle aussi. On nous a dit qu'elle était allée retrouver Heidi. Avec un large sourire, Fräulein Krüger nous a assuré que les deux sœurs reviendraient dès qu'elles seraient « prêtes ». Mais au fond de moi, je savais bien que ce n'était pas vrai.

Tard, ce soir-là, une fois couchées, nous avons discuté à voix basse.

« Peut-être qu'elles sont reparties chez elles, a suggéré Gerde, pleine d'espoir.

— Mais non, a protesté Franziska, on nous a dit qu'elles étaient dans un camp spécial, pour suivre des cours supplémentaires.

— Et si on les avait fusillées ? Je sais que c'est arrivé en Pologne, a dit Siegrid à voix très basse.

— Oh, Siegrid, ne raconte pas n'importe quoi, a

protesté Gerde. Je ne sais évidemment pas ce qui s'est passé, mais je suis sûre qu'elles sont en sécurité.

— Moi, je suis sûre que ça arrive, j'ai vu fusiller quelqu'un un jour. En pleine rue. C'était un Juif, a ajouté Ilse. C'est vrai qu'on fusille des gens et...

— Les Juifs, c'est tout ce qu'ils méritent », l'a interrompue Franziska.

J'ai sursauté et, à côté de moi, Liesel a étouffé un petit cri. C'était dit avec une telle froideur, un tel mépris. Fräulein Krüger aurait été fière de son élève.

« Allons, il faut dormir, ne parlons plus de tout ça », a chuchoté Gerde.

Je suis restée éveillée longtemps, incapable de trouver le sommeil. Fräulein Krüger nous avait dit que Heidi et Elsa étaient parties dans un camp, que tout irait bien pour elles. Mais elle avait aussi prétendu que Lidice avait été bombardé par les Alliés, et je savais que ce n'était pas vrai.

J'ai essayé de ne plus penser aux deux sœurs et finalement je me suis endormie, en faisant de mauvais rêves.

5

Hiver – printemps 1943 :
Puchkau, Pologne

En janvier, cela faisait sept mois que nous étions au Centre. Dehors, le froid devenait vif et nos jupes courtes avaient été remplacées par d'autres, plus longues, dans un lainage qui nous grattait les jambes. On nous avait donné aussi des manteaux bien doublés, avec l'aigle nazi cousu sur le col, et de chaudes bottes d'hiver.

Une sorte de routine s'était abattue sur notre vie, comme une épaisse couverture qui recouvrait tout d'une chape grise et monotone. Les jours se ressemblaient. Même la nourriture, que je trouvais succulente au début, me paraissait maintenant fade et sans goût.

Chaque matin débutait de la même façon : l'hymne national allemand, le salut hitlérien, le petit déjeuner, la gymnastique, puis les cours d'allemand. L'après-midi, un nouveau salut, les cours d'histoire, puis d'arithmétique, et le dîner. Quand arrivait enfin l'heure du coucher, j'avais un petit moment à moi pour penser à ma famille, avant de m'endormir et de recommencer une autre journée, exactement semblable à la précédente.

Un soir, alors que je sentais le sommeil me gagner, la voix de Liesel m'a brusquement fait sursauter :

« Ce n'est pas vrai ! »

Elle discutait avec Siegrid, dans le lit à côté du sien et elle semblait en colère.

« Si, c'est vrai, a répondu Siegrid, tu as entendu ce qu'a dit Fräulein Krüger. Ta maman ne veut plus de toi. Tu lui coûtais trop cher. C'est pour ça que personne n'est venu te chercher.

— Je suis sûre que si Fräulein Krüger l'a dit, c'est que c'est vrai, a ajouté Franziska, qui les écoutait.

— Non, ce n'est pas vrai, ce n'est pas possible ! » a protesté encore Liesel, qui s'est alors tournée vers moi. Son regard exprimait un mélange de doute et d'inquiétude.

Depuis plusieurs semaines déjà, nous avions presque toutes cessé de demander à Fräulein Krüger ou aux autres responsables du Centre des nouvelles de nos parents, car on nous répondait toujours la même chose : nous étions devenues orphelines, après des raids alliés sur nos villes. Ou alors nous étions des charges pour nos familles qui ne voulaient plus de nous. Nous étions des filles aryennes modèles. Nous symbolisions l'espoir et l'avenir de l'Allemagne.

Au fond de moi, cela m'arrangeait plutôt que personne ou presque ne parle plus de son passé. Chaque fois que j'entendais répéter que Lidice avait été bombardé, je commençais presque à le croire. Il me semblait même sentir les vibrations des bombes en train de tomber. C'était plus facile d'imaginer cela que de me rappeler la façon dont les nazis étaient venus me chercher en pleine nuit.

Complètement réveillée, maintenant, j'écoutais Liesel qui s'était mise à pleurer. J'ai chuchoté :

« Liesel, tu veux qu'on parle ?

— Non, Eva, rendors-toi… »

J'ai scruté l'obscurité. La lune brillait par les quatre petites fenêtres dans le mur en face de mon lit. J'ai aperçu Franziska, qui ne dormait pas. J'ai continué à voix basse :

« Liesel, tu sais que ce que dit Siegrid est faux.

Tu sais qu'un jour tout cela cessera et que tu rentreras chez toi. Nous rentrerons toutes chez nous.

— Et si Maman ne veut plus de moi ? »

J'en ai eu les larmes aux yeux :

« Écoute, accroche-toi à tout ce dont tu te souviens. Garde bien tes souvenirs.

— Je n'ai même pas pu dire au revoir à mes sœurs. Il n'y avait que Maman à la maison quand ils sont venus me chercher. C'était horrible. Je n'oublierai jamais à quel point elle pleurait. Jamais.

— Moi aussi je me rappelle ma maman. Tous les soirs, je pense à chacun des membres de ma famille.

— Oh, Eva, je suis désolée, a alors dit Liesel. Moi, au moins, je sais que ma mère est en sécurité, alors que toi, toute ta famille a été tuée pendant un bombardement.

— Il n'y a pas eu de bombardement du tout. »

J'ai prononcé ces mots d'une voix plus forte que je ne l'aurais voulu, mais je les ai répétés, comme si j'avais besoin de les entendre :

« Il n'y a pas eu de bombardement. Des soldats nazis sont venus nous enlever en pleine nuit.

— Mais Fräulein Krüger a dit... »

Il y avait un mélange de doute et d'espoir dans l'intonation de Liesel.

« Non, ai-je martelé, on nous a enlevées. Au beau

milieu de la nuit. Ce sont des soldats nazis qui sont venus. »

Et d'un seul coup, j'ai revu très nettement tout ce qui s'était passé à Lidice : le visage de Papa, sa main qui ne lâchait pas celle de Maman jusqu'à ce qu'on l'entraîne, ses yeux exprimant une telle souffrance. Et j'ai senti à nouveau l'odeur du foin dans le gymnase où nous avions attendu des heures, des jours. Et j'ai retrouvé le contact des doigts de Maman sur les miens juste avant qu'on m'emmène. Furieuse d'un seul coup, j'ai rejeté mes couvertures. Franziska s'est assise dans son lit et je me suis tournée vers elle :

« Tu t'en souviens. Tu étais là. On t'a enlevée, toi aussi.

— Non », a-t-elle répondu d'une voix très assurée.

Ce « non » m'a fait aussi mal que la gifle de Fräulein Krüger le premier jour au Centre.

« Quoi ? Ça veut dire quoi, "non" ? Comment peux-tu avoir oublié ? Les soldats, les fusils, les camions, le gymnase ? Qu'est-ce que tu racontes ? »

J'étais debout, maintenant, tellement en colère que j'en avais mal à la tête.

« Mes parents sont morts, ils ont été tués pendant un bombardement allié. »

Son ton était devenu bizarre, on aurait dit que les mots ne parvenaient plus à sortir de sa gorge. D'un seul coup, j'ai eu froid et ma fureur est retombée.

Puis Franziska s'est recouchée et m'a tourné le dos. Je me suis retrouvée debout au pied de mon lit, grelottant sous la lumière de la lune.

« Eva, a chuchoté Liesel. Eva ? »

Mais je n'avais plus envie de parler. Je me suis contentée de répondre : « Bonne nuit, Liesel », avant de me glisser sous mes couvertures.

« Bonne nuit, Eva », a-t-elle dit doucement.

Une fois au lit, j'ai caressé du doigt la petite broche de Babichka. C'était tout ce qui me restait de ma vie d'avant. Et j'ai repensé à mon beau télescope, le cadeau d'anniversaire de Papa. Quelqu'un s'en servait-il maintenant pour observer les étoiles ?

Je me suis souvenue aussi de ce soir où Terezie et moi avions fait des projets pour ma fête, discutant des chansons qu'on chanterait, des jeux qu'on organiserait. Puis nous avions regardé les étoiles. « Eva, regarde ! » s'était exclamée Terezie en désignant une étoile filante qui traversait le ciel.

Mais non, quelque chose n'allait pas. J'ai essayé de revoir la scène en entier. Terezie avait bien dit « Regarde ! » mais pas « Eva ». Elle ne m'avait pas appelée Eva – mais alors, comment ?

J'ai brusquement eu peur. À la place de mon vrai nom, il y avait un blanc, comme le trou qu'on a dans la bouche après avoir perdu une dent. Longtemps, dans le noir, j'ai cherché, cherché, essayant de retrouver comment on m'appelait avant. Avant le Centre. Mais aucun nom ne m'est revenu.

Les semaines suivantes, ce trou est devenu une espèce de brouillard qui a tout recouvert. J'ai essayé de continuer à sourire, à faire tout ce qu'on me demandait, à bien apprendre mes leçons, tellement j'avais peur d'être renvoyée comme Heidi et Elsa. Tous les soirs, je touchais du doigt la broche de Babichka en cherchant mon nom, mais sans le trouver, ce qui me rendait de plus en plus triste. Par contre, je me rappelais très bien ce qu'elle m'avait dit en me la donnant : « Rappelle-toi toujours qui tu es. Rappelle-toi d'où tu viens. Toujours. »

Je n'avais pas tenu ma promesse.

*
* *

Quelque temps après, j'ai été réveillée en pleine nuit par une vive douleur à la jambe. La broche s'était détachée de ma chemise de nuit et me piquait la peau. Je l'ai prise dans le creux de ma main, tout en écoutant la respiration rythmée des autres filles qui dormaient, se mêlant au bruit du vent sur le givre à l'extérieur des vitres.

La neige était désormais de plus en plus épaisse dehors, au fur et à mesure que nous nous enfoncions dans l'hiver. Quand nous sortions faire notre gymnastique du matin, notre souffle se transformait en buée et on nous servait aussitôt après du chocolat chaud.

Tout en caressant du doigt les petits grenats disposés en étoile, j'ai repensé à ma grand-mère, le dernier jour, quand elle avait glissé le bijou dans ma main. Mais je ne retrouvais toujours pas mon nom. L'avais-je perdu à jamais ?

Je me suis retournée pour regarder la fenêtre la plus proche de mon lit, juste au-dessus de celui de Franziska et j'ai essayé d'apercevoir des étoiles. Brusquement, je me suis dit qu'il fallait absolument que j'en voie, comme autrefois à Lidice. J'ai écouté attentivement si le gardien qui était toujours là la nuit ne faisait pas sa ronde, mais je n'ai rien entendu. Alors, vite, j'ai mis mes bottes et mon manteau, je me suis glissée dans le hall et suis sortie.

C'était une nuit magnifique, claire et très froide. Le ciel m'est apparu criblé d'étoiles. Ici, en Pologne, elles ressemblaient exactement à celles de Tchécoslovaquie ! Peut-être qu'au même instant un membre de ma famille les regardait aussi. J'ai repéré l'étoile Polaire et l'ai fixée longtemps, longtemps, comme si cela pouvait me permettre de retrouver mon vrai nom.

Et soudain, j'ai vu passer une étoile filante, puis une autre, une autre encore ! Le ciel en était strié. Babichka ! C'était sûrement elle qui m'envoyait un message, pour me recommander de ne jamais oublier qui j'étais. J'ai commencé à pleurer et les larmes ont gelé sur mes joues.

> « *Dors, ma petite, dors*
> *Les anges veillent sur toi.* »

Je me souvenais des paroles si douces de la berceuse que ma grand-mère me chantait. J'ai fermé les yeux et fredonné tout bas, en serrant fort ma broche. Et d'un seul coup, c'est revenu, j'ai entendu, réellement entendu comment elle m'appelait :

> « *Dors, ma Milada, dors,*
> *La nuit te protège.* »

Milada. Mon si joli prénom, Milada, celui de ma grand-mère et de sa mère avant elle. Milada, c'était beau, pur, vrai. J'ai alors chuchoté : « Je n'oublierai plus, Babichka, plus jamais. »

Et j'ai répété : « Milada, Milada, Milada », en retournant me coucher sans bruit.

*

* *

M'être enfin souvenue de mon prénom a remis un peu de couleur dans la grisaille de nos journées toujours aussi monotones. Désormais, les cours d'économie domestique m'ont semblé un peu plus faciles et j'ai eu un peu moins de mal à regarder en face le portrait de Hitler parce que, au plus profond de moi, je savais qui j'étais et d'où je venais. Et même si Franziska ne le croyait pas, j'étais sûre qu'un jour je retournerais dans mon village, je vivrais à nouveau avec ma famille et on m'appellerait de mon vrai nom. J'avais besoin de cette certitude pour supporter cet hiver glacial et l'ennui pesant de nos leçons quotidiennes.

Peu de temps après, Fräulein Haugen a installé dans la classe un miroir en pied. On nous a toutes pesées, on a mesuré une fois de plus notre tour de tête et notre nez, on a compté les battements de notre cœur. Puis, une par une, nous avons défilé devant la glace et on nous a appris à natter nos cheveux d'une façon très sophistiquée.

Je ne m'étais plus vue depuis mon arrivée au Centre et je n'ai pas reconnu celle qui me dévisageait. J'ai levé la main et elle en a fait autant. Mes cheveux me tombaient maintenant aux épaules et ma figure avait changé. Elle s'était allongée et les taches de rousseur se voyaient moins. Celle que je scrutais ne ressemblait plus vraiment à une petite fille, mais presque déjà à une jeune femme. Ces longues mèches blondes, ces yeux très bleus, à quoi je ne prêtais même pas attention autrefois, voilà ce qui avait fait qu'une jeune Tchèque se transforme en une future citoyenne allemande.

*
* *

Un mois après, toujours en hiver, je me suis réveillée à nouveau en pleine nuit. Il me semblait entendre au loin, très loin, la berceuse si douce chantée par ma grand-mère. Mais en réalité, quelqu'un me secouait par les épaules. J'ai ouvert les yeux et vu Liesel penchée vers moi.

« Eva, Eva, a-t-elle chuchoté en allemand, qu'est-ce que tu as ? Tu es en train de chanter dans une langue que je ne comprends pas. Réveille-toi ! Réveille-toi !

— Quoi ? ai-je demandé en tchèque.

— Eva, réveille-toi, je ne comprends pas ce que tu dis.

— Je suis réveillée », ai-je répondu tout bas en allemand, tellement déçue de me retrouver là où j'étais. J'aurais voulu me fondre dans la tendresse de cette musique. Mais, vite, je me suis redressée pour regarder Liesel bien en face. Même dans l'obscurité, à la seule lueur des rayons de lune, le bleu de ses yeux était extraordinaire. J'ai tapoté le bord de mon lit et elle s'y est assise, les genoux repliés. Nous sommes restées un long moment silencieuses, à écouter la respiration des autres filles. Puis j'ai chuchoté :

« Tu as de si jolis yeux, Liesel.

— Merci, a-t-elle répondu, ce sont exactement les mêmes que ceux de ma mère... »

Puis elle s'est tue, en détournant la tête. Liesel était la première personne à m'avoir souri à notre arrivée au Centre. Comment était-elle, autrefois ? Aurais-je aimé l'avoir comme amie et l'inviter à ma fête d'anniversaire – contrairement à Franziska ? En quoi avait-elle changé depuis cet interminable mois ? Et moi, alors ?

J'ai tendu l'oreille pour m'assurer que toutes les autres dormaient et qu'aucun garde ne rôdait derrière la porte. Puis j'ai pris Liesel par la main, en disant : « Viens. » Sans bruit, j'ai mis mon manteau et mes bottes en lui indiquant par gestes d'en faire autant. Elle n'a pas hésité une seconde, après quoi nous nous sommes glissées dehors.

Le ciel était à nouveau criblé d'étoiles. En Tchécoslovaquie, notre maîtresse d'école nous avait appris qu'en réalité ce ne sont pas de minuscules fragments lumineux mais d'énormes boules de feu, comme autant de soleils. Derrière moi, Liesel mettait ses pas dans les miens en essayant de ne pas trébucher.

« Regarde ! ai-je murmuré en m'arrêtant net. L'étoile Polaire ! Tu la vois ? Elle est toujours là, quelle que soit la saison. Même ici les étoiles sont les mêmes que chez moi.

— Oui... Je crois que je n'y avais jamais fait attention... »

Nous sommes restées immobiles assez longtemps, les yeux tournés vers le soleil.

Liesel s'est mise à frissonner et j'ai commencé à avoir froid, moi aussi, malgré mon épais manteau. Je ne savais pas trop pourquoi j'avais eu tellement envie d'entraîner Liesel dehors, et comme je n'étais pas prête à retourner dans notre chambre, avec les autres, je l'ai fait entrer avec moi dans la chapelle devant laquelle nous passions tous les jours mais dont la porte restait fermée. J'espérais pouvoir l'ouvrir, à l'intérieur, nous serions plus à l'abri.

Le lourd battant de bois m'a rappelé le portail de l'église de Lidice et j'ai réussi à le pousser sans difficulté. Dedans, il faisait sombre, seul l'autel était éclairé par des dizaines de bougies rouges, allumées devant un grand portrait de Hitler et des affiches de la Ligue des jeunes filles allemandes. Contre le mur, il y avait une statue de la Vierge Marie et l'expression de son visage m'a semblé très triste, comme si elle était malheureuse de voir ce qu'on avait fait de cette petite église.

J'ai avancé lentement, en caressant du doigt au passage le bord de chaque prie-Dieu. Liesel est restée au fond, comme incertaine de ce qu'elle devait faire.

« C'est un lieu du culte catholique, n'est-ce pas ? a-t-elle demandé d'une voix hésitante.

— Oui. Enfin, c'était... ai-je répondu.

— Tu es catholique, Eva ? Je veux dire, j'imagine que tu l'étais avant de venir ici ?

— Oui. Et toi ?

— Moi aussi. Mais je pense que c'est devenu tout autre chose.

— À la place du Centre, il y avait sûrement un couvent. Mais on a transformé ça en un endroit... » J'ai hésité, puis repris : « Maléfique. »

Liesel s'est assise sur un banc et je suis venue la rejoindre. Nous n'avons pas parlé, jusqu'à ce qu'elle murmure :

« Katarzyna.

— Quoi ? Qu'est-ce que tu dis ?

— Katarzyna. C'est mon vrai nom. Celui que j'avais avant qu'on m'amène ici. »

Un frisson m'a traversée. Je n'étais donc pas la seule à ne pas avoir oublié sa vie d'avant.

« Oh, Liesel… Je veux dire, Katarzyna. Moi, je m'appelle Milada.

— Milada… C'est joli.

— Je me le répète tous les soirs. Pour être sûre de m'en souvenir. »

Nous nous sommes tues encore un instant. Le visage de Hitler semblait vaciller devant nous, à la lueur des bougies. Puis j'ai dit : « Regarde, je veux te montrer quelque chose. »

J'ai déboutonné mon manteau et détaché la broche de Babichka de l'ourlet de ma chemise de nuit. Doucement, je l'ai glissée dans la main de Liesel.

« La nuit où ils sont venus me chercher, ma grand-mère m'a donné ça. Et elle m'a dit de ne jamais oublier. Jamais.

— Tu en as de la chance d'avoir quelque chose de chez toi. Moi, je n'ai rien. On ne m'a pas permis d'emporter quoi que ce soit.

— J'ai essayé de tenir ma promesse. Katarzyna, si tu veux bien, à partir de maintenant, quand nous pourrons venir ici, appelons-nous de nos vrais noms.

— Oui, Milada, d'accord.

— Très bien, Katarzyna. »

Et j'ai serré sa main dans la mienne en lui souriant largement. Puis j'ai crié :

« Milada ! Je m'appelle Milada ! si fort que le son s'est répercuté dans toute la chapelle.

— Katarzyna ! » a-t-elle répondu à son tour.

Et avant de retourner nous coucher, je me suis sentie comme réchauffée, malgré le froid. Maintenant, j'avais une amie. Je n'étais plus complètement seule.

6

Été 1943 – hiver 1944 :
Puchkau, Pologne

Alors que je m'étais rapprochée de Liesel, Franziska devenait inséparable de Siegrid. Elles s'asseyaient toujours l'une à côté de l'autre, aussi bien en classe qu'au réfectoire. Elles avaient même demandé qu'on déplace leurs lits pour les installer côte à côte. Et le soir, elles bavardaient très tard dans un allemand impeccable.

Elles étaient les meilleures dans toutes les matières, de véritables citoyennes allemandes modèles, désireuses de bien faire, astucieuses et toujours prêtes à critiquer la moindre erreur chez les autres, que ce soit pendant les cours ou en récitant les serments d'allégeance à l'ordre nazi.

Fräulein Krüger et les autres maîtresses nous vantaient leur « merveilleuse façon d'écrire », leur « profonde compréhension de la philosophie allemande » et prophétisaient qu'elles deviendraient un jour d'« excellentes mères allemandes ».

Cela agaçait toutes les autres filles. Mais nous avions trop peur de Fräulein Krüger pour oser protester ou tenter de rivaliser avec elles.

Franziska était la préférée des professeurs, parce qu'elle adhérait complètement aux idées nazies de tous les adultes autour de nous. Elle le savait, comprenait aussi que cela lui donnait un certain pouvoir, qu'elle n'hésitait pas à utiliser.

Un jour, elle a récité en classe le début d'un poème allemand qu'on nous faisait étudier. Naturellement, elle l'a dit à la perfection, sans une faute, alors que c'était un texte difficile. Nous avions toutes travaillé dur pour l'apprendre, nous le répétant les unes aux autres le soir, avant de nous endormir.

Je n'ai pas été surprise que Fräulein Schmitt l'appelle au tableau la première et la couvre d'éloges ensuite. Mais elle a ajouté :

« Maintenant, Franziska, veux-tu choisir une de tes camarades pour réciter en même temps que toi la deuxième partie ? »

Franziska n'a pas hésité une seconde :

« Je choisis Gerde. »

Gerde est devenue cramoisie. Nous savions que c'était elle qui avait eu le plus de mal à apprendre ce poème.

« Parfait, a dit Fräulein Schmitt. Allez-y, toutes les deux. »

Cela a été affreux d'entendre Gerde trébucher sur les mots, se reprendre, aller vérifier le texte dans son livre, tandis que Franziska s'arrêtait pour lui permettre de la rattraper. À la fin, Gerde avait les yeux pleins de larmes.

« Franziska, c'était parfait, a déclaré Fräulein Schmitt en esquissant un applaudissement. Tu es toujours la meilleure. Quant à toi, Gerde, je ne crois pas avoir besoin de te dire à quel point tu as été lamentable. Pour devenir une parfaite jeune fille allemande, il faut étudier aussi dur que Franziska, même si cela signifie empiéter sur ses heures de sommeil. Ce soir, tu n'iras pas te coucher en même temps que les autres. Tu resteras dans la classe avec le garde de nuit jusqu'à ce que tu sois capable de réciter ce poème aussi bien que ta camarade. »

La fois suivante que nous avons eu une poésie à apprendre, nous avons toutes travaillé tard le soir, tellement nous redoutions que Franziska veuille nous humilier.

*
* *

J'étais contente d'avoir Liesel. Nous avions continué à nous rendre ensemble en cachette dans la chapelle, la nuit. L'une de nous, à tour de rôle, restait éveillée jusqu'à ce que toutes les filles soient endormies, et allait alors doucement secouer l'autre. Puis nous filions contempler les étoiles et passer un petit moment tranquille à bavarder. C'était ce qui me permettait de garder espoir et m'a aidée à supporter la vie au Centre la deuxième année.

Dans la petite église, nous avions établi des règles : nous appeler chacune par notre vrai prénom et évoquer notre vie d'autrefois. J'ai parlé à Katarzyna de ma famille, de Jaro et d'Anechka, de Papa, de Maman, de Babichka, qui m'apprenait à coudre et à faire le pain. Je lui ai raconté tout ce que je faisais avec Terezie et nos projets pour la fête d'anniversaire qui n'avait pas eu lieu. Avec elle, je me sentais à l'aise, en confiance, comme avec Terezie et j'ai commencé à la considérer à son tour comme ma meilleure amie.

« Moi, m'a-t-elle dit une fois, j'avais trois sœurs et un frère plus âgé que moi. Mon père a été tué en se battant contre les nazis, et c'est pourquoi mon frère les détestait. J'étais encore petite, en ce temps-

là, et voilà que maintenant, je suis devenue moi-
même une nazie.

— Mais non, voyons, ai-je protesté. Pas vraiment.

— Ils sont venus me chercher, a-t-elle continué.
Ils sont entrés chez nous et m'ont emmenée. Je
n'oublierai jamais à quel point Maman a crié, les
suppliant de me laisser, mais il n'y a rien eu à faire.
C'est pour ça que j'ai du mal à croire qu'elle ne
voulait plus de moi. Ils portaient tous des chemises
brunes et, dans le car, ils m'ont dit qu'elle était
d'accord pour que je parte, parce que je lui coûtais
trop cher. Je n'arrive pas à croire que c'était vrai.
Étant la plus petite de la famille, je ne mangeais pas
beaucoup. Mais parfois, ici, je ne sais plus trop quoi
penser... »

Elle s'est tue et j'ai serré sa main dans la mienne.

*
* *

À la fin de l'hiver, notre amitié s'était épanouie,
devenant une de nos seules certitudes dans cet
univers incertain. J'avais tellement grandi que
j'avais dû encore changer de jupe, de bottes et de
chaussettes. Mes cheveux poussaient de plus en
plus.

Un matin, au réveil, j'ai entendu, mêlés aux accords de l'hymne allemand, des chants d'oiseaux, preuve que le printemps arrivait enfin. Cela m'a remonté le moral et m'a donné un peu de courage.

Quand Fräulein Krüger est apparue, ce jour-là, pour son inspection du matin, elle portait une veste d'uniforme, à la place de son chemisier et de son foulard habituels. Nous sommes restées au garde-à-vous, bras levé, tandis qu'elle passait lentement devant nous en souriant d'un air approbateur. Du coin de l'œil, j'apercevais Franziska qui la suivait d'un regard admiratif, comme si elle avait été une vedette de cinéma. Et c'est vrai que ce matin-là, elle était belle, les cheveux relevés en un chignon impeccable, cette coiffure mettant en valeur ses yeux d'un bleu foncé qui évoquaient pour moi un ciel d'avant l'orage, lourd de menaces cachées.

« Vous êtes superbes, mes filles, ce matin, a-t-elle déclaré si gaiement que j'ai tout de suite senti le doute m'envahir. Et aujourd'hui, vous allez pour la première fois visiter la ville de Puchkau. »

Un silence stupéfait a suivi, tandis qu'elle continuait à aller et venir, tapotant la joue de l'une, la tête de l'autre. Puis après nous avoir fait signe de rompre le salut hitlérien, elle est sortie de la pièce en fredonnant un petit air.

Personne n'a rien dit. Nous sommes allées prendre notre petit déjeuner toujours sans un mot. Liesel et moi avons échangé des regards inquiets. Cela faisait longtemps que je ne pensais plus à Heidi, mais d'un seul coup, tout est revenu, en particulier les coups qu'elle avait reçus, plus ceux infligés à Elsa, avec une ceinture de cuir. Et elles avaient disparu toutes les deux, pour ne jamais revenir. Allait-on réellement nous emmener faire une promenade en ville – ou nous expédier ailleurs, comme elles ?

Fräulein Krüger a dû sentir notre inquiétude, parce qu'elle est venue s'asseoir au bout de notre grande table :

« Voyons, voyons, les filles, cela va être très amusant. Ce sera une bonne occasion de montrer comme vous êtes belles. Et en plus, il va y avoir une surprise. »

J'ai fixé mon bol de céréales, une bouchée soudain coincée dans la gorge. Depuis deux ans, j'avais pris les surprises en haine.

Milada, Milada, Milada, me suis-je répété intérieurement, le temps de finir mon petit déjeuner.

Après, on nous a reconduites vers notre chambre, au lieu d'aller, comme d'habitude, en classe d'économie domestique. J'ai eu peur en constatant que la porte était fermée. J'ai vu, à l'expression de son visage, que Liesel redoutait comme moi ce qui pouvait bien se passer derrière. Était-ce cela, la surprise ?

Fräulein Krüger nous a alors rassemblées autour d'elle, puis a poussé le battant d'un geste large, avec un grand sourire :

« Regardez bien, c'est un cadeau très spécial. Une fois en ville, il faut qu'on admire les belles jeunes filles allemandes que vous êtes. Allez, changez-vous vite et après, nous partirons. »

Sur chaque lit était posé un uniforme flambant neuf, impeccablement repassé avec, au pied, une paire de bottes si bien cirées que j'en ai senti l'odeur depuis la porte.

De façon très inattendue, mes yeux se sont emplis de larmes. Cela faisait si longtemps qu'on ne m'avait rien offert… La peur m'a quittée si soudainement que mes genoux en ont flageolé. Nous allions donc réellement faire un tour en ville.

J'ai observé Liesel qui avait pris sa jupe neuve et la tenait contre elle pour vérifier la longueur. Elle m'a souri en s'exclamant : « Regarde, ça me va parfaitement ! »

Toute tension a disparu et la pièce s'est remplie de cris joyeux tandis que nous enfilions nos uniformes neufs. Mon chemisier, en tissu soyeux, sûrement très cher, semblait avoir été taillé sur mesure

pour moi. Nous avions aussi chacune un petit foulard rouge à nouer autour du cou, avec un fermoir
neuf portant l'emblème nazi, semblable à celui que
nous portions tous les jours. Très soigneusement,
sans qu'on me remarque, j'ai épinglé la broche de
Babichka sous mon col. Liesel est venue tournoyer
à côté de moi :

« Elle est si belle, ma jupe ! Et tu as vu ce qu'il y
a dans la poche ? Tu as vu ce qu'on nous a donné ? »

J'ai tâté et senti un objet dur sous mes doigts,
quelque chose de rond. Je l'ai sorti, c'était une pièce
de monnaie frappée d'un côté de la croix gammée
et de l'autre de l'aigle nazi. Un mark ! Un mark
chacune !

Fräulein Krüger a réapparu, l'air vraiment contente
de nous trouver si gaies :

« Les filles, vous pourrez dépenser cet argent
exactement comme vous voudrez. Pendant notre
excursion, nous nous arrêterons dans un superbe
magasin de bonbons. »

Je n'avais jamais eu autant d'argent à dépenser
comme bon me semblait. Jamais. Et je ne me rappelais pas être jamais allée dans une confiserie, ni
avoir acheté des bonbons. Moi aussi, j'ai fait tournoyer ma jupe et j'ai fermé les yeux, un grand sourire aux lèvres.

*
* *

Il faisait beau, ce jour-là. Quand nous nous sommes dirigées vers le car qui nous attendait, j'ai soudain réalisé que c'était la première fois depuis près de deux ans que je sortais du Centre. À quoi allait donc ressembler le monde au-dehors ? Serait-il différent de ce que j'avais connu ou toujours le même ?

Il restait quelques plaques de neige à moitié fondue sur le sol et, dans le lointain, une brume bleutée voilait un peu les montagnes. Des oiseaux chantaient dans les arbres. Franziska et Siegrid marchaient devant moi en bavardant gaiement. Liesel, les yeux brillants et encore plus bleus que d'habitude, est venue me prendre par la main. Tout semblait beau, bon, comme cela devait être. Tandis que nous démarrions, j'ai repensé un instant à mon arrivée par cette même route, mais vite, je n'ai plus voulu m'attarder là-dessus. Le monde tel que je le voyais en cet instant était magnifique, comme s'il n'y avait plus de guerre, plus de malheur, comme si ce n'était plus nécessaire de s'efforcer de se rappeler le passé. Je voulais profiter de ces moments de presque liberté et j'ai appuyé mon front contre la vitre en regardant le paysage défiler jusqu'à Puchkau.

Mais une fois en ville, tout a changé. Les maisons, sombres et tristes, semblaient se serrer les unes contre les autres, comme pour se protéger contre Hitler et ses soldats. Toutefois, cela n'a pas entamé ma bonne humeur. On nous a autorisées à nous promener où nous voulions, à regarder les vitrines qui nous plaisaient. Liesel est restée avec moi tout le temps et nous nous sommes bien amusées. Je gardais mon mark au fond de ma poche, j'avais seulement envie d'acheter du chocolat. Je me sentais heureuse d'être dehors, libre.

Avant de repartir, nous nous sommes toutes retrouvées devant une confiserie – petit groupe de jeunes Allemandes blondes qui se promenaient, pleines d'insouciance.

« Des bonbons ! J'en meurs d'envie ! » m'a dit Liesel, les yeux luisant de convoitise. J'ai répété après elle : « Oui, des bonbons », et je sentais l'eau me venir à la bouche à la seule idée de retrouver le goût délicieux du chocolat. Une fois dans la boutique, j'ai choisi une bouchée surmontée d'une petite rose. Je l'ai posée sur ma langue et j'ai fermé les yeux en la laissant fondre, sans mordre dedans, pour que cet instant magique dure plus longtemps. Quand cela a été fini, j'ai regardé autour de moi et j'ai vu de l'autre côté de la rue une vieille femme toute courbée qui nous observait. J'ai chuchoté : « Grand-mère... »

Pendant deux ou trois secondes, j'ai réellement cru que c'était elle, sur un trottoir de cette ville de Pologne, attendant que je la rejoigne. Soudain, plus rien n'a compté que ce désir fou qu'elle enroule son châle noir tout râpé autour de moi, que je puisse sentir son odeur et l'entendre me dire que, désormais, tout irait bien. J'en tremblais presque et j'ai tendu la main vers elle.

Mais elle s'est aussitôt mise à crier des mots que je ne comprenais pas. Ses yeux brûlaient de haine, tandis qu'elle me hurlait : « Nazista ! » en polonais. Puis en mauvais allemand, elle a ajouté : « Sale nazie ! Maudite gamine ! » Puis elle a traversé la rue et s'est précipitée vers moi, soudain si proche que j'ai senti son odeur de sueur et de terre.

« Non », ai-je protesté, voulant lui faire comprendre que je n'étais pas une nazie. D'un seul coup, j'avais honte de mon uniforme, j'aurais voulu l'arracher. « Non », ai-je répété, en faisant non de la tête. Mais elle ne comprenait pas.

Elle a serré les lèvres, puis m'a craché au visage, l'air soudain très satisfaite de voir la morve couler sur ma joue. Elle a souri et s'est redressée de toute sa taille. « Non », ai-je dit encore, en tentant de m'essuyer, puis de poser ma main sur son bras. Mais

Fräulein Krüger a alors surgi entre nous brandissant une matraque et elle a frappé la vieille femme de toutes ses forces. Une fois, deux fois, trois fois – sur la tête, les épaules, le dos, jusqu'à ce qu'elle s'effondre au bord du trottoir. Ses cris, d'abord perçants, se sont étouffés peu à peu et ont finalement cessé. Et je n'ai plus entendu que le bruit rythmé des coups. Pendant des nuits, après cela, je me réveillerais en sursaut, terrifiée au souvenir des hurlements de la vieille femme et des coups assenés par Fräulein Krüger.

Vite, on nous a rassemblées et conduites jusqu'au car. Je me suis retournée, pour apercevoir la malheureuse qui tentait de se relever. Autour d'elle, la neige était rouge de sang. Et dans la rue, personne ne passait.

« Quelle horrible créature, a dit Franziska, surgissant à mes côtés, soudain très empressée. Horrible, vraiment. »

Avec un petit claquement de langue plein de sympathie, Fräulein Krüger m'a nettoyé la joue. Liesel me tapotait le dos.

« Ne t'inquiète pas, Eva, c'était une vieille folle, a ajouté Gerde, pendant que nous commencions à nous asseoir.

— Elle n'a eu que ce qu'elle méritait, a conclu Siegrid, tout va bien maintenant. »

Autour de moi, chacune avait l'air d'approuver. Moi, je me sentais glacée, prise de vertige.

« Eva, ça va ? Tu es sûre que ça va ? »

C'était Franziska, venue s'installer à côté de moi, et débordante d'attention d'un seul coup.

« Cette femme... Cette vieille femme... ai-je chuchoté. Elle a cru que j'étais une nazie.

— Mais tu en es une, voyons. »

Je l'ai regardée en face. J'ai vu ses longs cheveux blonds élégamment nattés, ses pommettes hautes. Fräulein Krüger l'avait félicitée une fois : « Tu as un visage nazi parfait, Franziska. »

« Mais... non... ai-je voulu protester.

— Chut, Eva, arrête. Maintenant nous sommes en sécurité. »

Et elle a posé sa main sur ma bouche.

Je me suis alors tournée contre la vitre, souhaitant désespérément retrouver ce sentiment de liberté, d'insouciance, de gaieté même, du matin. Mais il avait disparu, et j'étais maintenant confrontée à la dure réalité : où j'étais et avec qui.

« Elle ressemblait à ma grand-mère », ai-je chuchoté pour moi seule, en regardant défiler les arbres et les champs.

Après cela, quelque chose en moi a changé. J'ai eu l'impression de m'éloigner de tout le monde, même de Liesel. Nous avions retrouvé la routine habituelle – les leçons, Hitler, l'Allemagne, l'Allemagne encore et toujours – mais c'était différent.

Je me répétais tout bas : Milada, Milada, je continuais à attendre, à espérer. Mais un vide se créait entre moi et le reste du monde que je ne savais pas comment combler.

7

Avril 1944 :
Puchkau, Pologne

Peu après notre sortie en ville, nous avons compris que quelque chose allait à nouveau se passer.

Cette fois, Fräulein Krüger ne nous a rien dit, n'a annoncé ni surprise ni bonnes nouvelles. On ne nous a pas donné de vêtements neufs. Au lieu d'aller en cours d'économie domestique, après le petit déjeuner, on nous a conduites à la chapelle où nous étions allées si souvent en cachette, Liesel et moi.

« Crois-tu qu'on va retourner à Puchkau ? a demandé Siegrid.

— Oh, je l'espère, a dit Gerde. J'ai tellement envie de revoir la confiserie.

— Mais toi, Eva, qu'est-ce que tu crois qu'il va se passer ? a questionné Liesel.

— Je ne sais pas », ai-je répondu. J'avais peur.

En plein jour, je voyais que les murs de la petite église venaient d'être repeints en blanc éclatant et qu'on avait installé sur l'autel un portrait du Führer encore plus grand que le précédent, flanqué de deux bouquets de roses rouges. La Vierge Marie avait disparu et il y avait des bougies allumées partout.

Liesel est venue s'asseoir à côté de moi.

« C'est très différent la nuit, n'est-ce pas ? » a-t-elle chuchoté. J'ai simplement hoché la tête. Autour de nous, les autres filles riaient et plaisantaient.

« Heil Hitler ! »

Le silence s'est fait d'un seul coup, tandis que Fräulein Krüger entrait en grand uniforme flanquée de deux nazis que je n'avais encore jamais vus. Ils étaient en uniforme, eux aussi, et portaient des décorations. J'ai senti mon estomac se contracter.

« Heil Hitler ! »

Nous nous sommes toutes mises debout, le bras tendu.

« Asseyez-vous », a dit Fräulein Krüger en montant sur la petite estrade installée devant l'autel. Elle arborait une nouvelle coiffure, un enchevêtrement compliqué de nattes sur la nuque. C'était très joli, même si cela m'a un peu fait penser à une toile d'araignée – et à du poison caché sous tant de beauté.

« Aujourd'hui, jeunes filles allemandes, a-t-elle déclaré, va être pour vous une journée très particulière. »

La guerre est finie. C'est la première idée qui m'a traversée. La guerre est finie, je vais rentrer chez mes parents, retrouver mon vrai nom, organiser une fête avec un vrai gâteau au chocolat et tout le reste ne sera plus qu'un mauvais rêve, que je pourrai vite oublier. Mais Fräulein Krüger a poursuivi :

« Aujourd'hui, vous allez commencer une nouvelle vie et devenir officiellement des citoyennes allemandes. »

J'ai senti le sang refluer dans mes veines. Non, la guerre n'était pas finie, le cauchemar continuait.

« Vous avez subi un entraînement difficile, je le sais, mais vous êtes devenues de parfaites jeunes filles allemandes. Nous sommes fiers, mes collègues et moi (et elle a désigné de la main les deux nazis assis au premier rang) de vous annoncer que vous deviendrez un jour membres de la Ligue féminine hitlérienne. Et tout à l'heure... »

Là, elle a fait une pause et a pris le temps de sourire à chacune, à tour de rôle, pour reprendre :

« Vous serez adoptées par vos nouvelles familles allemandes. »

La pièce s'est mise à tourner, je ne voyais et n'entendais plus rien. La voix de Fräulein Krüger ne me parvenait même plus. Et tout est devenu noir.

Quand j'ai rouvert les yeux, j'étais étendue sur mon lit et deux étrangers m'observaient, penchés vers moi. Encore étourdie, j'ai tenté de me redresser, mais une main m'a doucement repoussée en arrière. Une jolie femme inconnue me souriait. À côté d'elle, un homme me dévisageait en fronçant les sourcils. Puis j'ai reconnu la voix de Fräulein Krüger qui expliquait : « C'est l'excitation provoquée par cette grande nouvelle, en réalité, elle est très forte, je vous assure. Elle a parfaitement résisté quand une vieille Polonaise l'a agressée. »

La femme me caressait maintenant le front, comme Maman quand j'étais malade, et j'ai refermé les yeux. « Bien sûr, bien sûr. » Elle avait une voix musicale, pleine de tendresse. « Tout ira bien, Eva. Nous sommes si heureux de t'accueillir au sein de notre famille. »

*
* *

Nous avons quitté le Centre dans une voiture officielle nazie noire et luisante. Sur le perron de la chapelle, Fräulein Krüger nous souriait en agitant la main. Je m'éloignais de ce qui avait été mon unique foyer depuis près de deux ans et j'ai soudain pensé que je n'avais revu aucune des filles, même pas Liesel, avant de partir.

J'ai eu le temps de me dire que Fräulein Krüger saurait sûrement où Liesel s'en allait et j'ai pensé sauter de la voiture pour courir le lui demander. Pendant ces deux années, j'avais tout le temps eu peur de Fräulein Krüger et, bizarrement, j'avais maintenant peur de la quitter. Mais je n'ai pu que la regarder devenir de plus en plus petite, par la vitre arrière, jusqu'à ce qu'elle disparaisse.

Je me retrouvais seule avec deux étrangers. Mes nouveaux parents étaient assis avec moi sur la banquette arrière, un chauffeur conduisait. La jolie femme continuait à parler, un peu nerveusement, l'homme se taisait :

« … si heureuse que tu viennes vivre avec nous. Nous savons le choc terrible que ce bombardement a dû être pour toi. Nous connaissons les circonstances qui t'ont conduite jusqu'à nous. Tu peux m'appeler *Mutter*. »

Je l'entendais mais sans vraiment l'écouter. Je me répétais intérieurement : « Milada, Milada, Milada… »

« … Et ton amie Franziska… Fräulein Krüger nous a dit que vous étiez très proches, toutes les deux, et qu'elle avait perdu ses parents dans ce même bombardement. Elle va être adoptée par les Schönfelder, une famille adorable, qui habite Berlin. Vous pourrez certainement vous écrire et peut-être même vous revoir. »

J'avais l'impression d'être déconnectée de la réalité, je n'éprouvais rien, je ne comprenais pas ce qu'on me disait. Je gardais les yeux fixés sur le paysage qui défilait derrière la vitre. Dehors, c'était le printemps, les branches des arbres se couvraient de bourgeons. Et moi je continuais à murmurer dans ma tête : « Milada, Milada... »

« ... Et nous avons un chien, Kaiser, le plus gentil des bergers allemands. Et tu auras un petit frère, Peter, qui a huit ans. Et tu vas beaucoup aimer Elsbeth, qui a quatorze ans. Elle meurt d'envie de rencontrer sa nouvelle sœur.

— Un peu de silence, Trude, laisse-la donc se reposer. La journée a été longue pour tout le monde. »

Mon nouveau père, Hans Werner, venait d'interrompre brusquement son bavardage. J'ai tourné la tête et croisé le regard de ma nouvelle mère, Trude Werner. Elle a dévisagé son mari, et s'est tue, en se mordant un peu les lèvres. Puis elle a pris ma main dans la sienne.

*
* *

Nous avons traversé Berlin et j'ai eu l'impression de découvrir un autre monde. Il y avait des gens dans les rues, qui se parlaient, se souriaient, riaient, comme si tout allait pour le mieux et que je ne me retrouvais pas dans une voiture avec deux parfaits étrangers. Nous sommes passés devant des immeubles à moitié détruits par des bombes. Partout, absolument partout, on voyait des portraits de Hitler, dont le regard dur et froid nous fixait, comme pour nous assurer de la suprématie de l'Allemagne sur le reste du monde.

Milada, Milada, Milada... J'ai réussi à toucher du doigt la broche de Grand-mère sous l'ourlet de ma jupe.

Nous nous sommes dirigés vers le nord, en direction de la petite ville de Fürstenberg, à travers ce qui m'a paru être une forêt. Puis, dans une clairière, le chauffeur a ralenti, pour s'engager sur une très longue allée pavée conduisant à une grande maison blanche entourée de pelouses vertes. Elle avait deux étages, beaucoup de fenêtres et un porche d'entrée flanqué de deux énormes piliers. Au fur et à mesure que nous nous approchions, une bizarre odeur s'est fait sentir, âcre, désagréable, au point que j'ai esquissé le geste de me boucher le nez.

« Ne t'inquiète pas, *Liebling*, tu vas t'y habituer, m'a alors dit Frau Werner, ce n'est pas si terrible que ça, juste un tribut à payer à cette guerre. »

Le chauffeur s'est arrêté, puis est descendu de voiture pour venir nous ouvrir la portière.

On a alors entendu une voix aiguë d'enfant crier : « *Vater !* », et un petit garçon très blond, aux yeux verts, a littéralement jailli devant nous pour venir se jeter dans les bras de Herr Werner.

« Peter ! » s'est exclamé celui-ci, qui a soulevé son fils et l'a fait tournoyer en l'air. Sur le seuil de la porte, une jolie petite fille aux cheveux blonds bouclés et aux grands yeux bleus nous souriait timidement. Frau Werner m'a conduite jusqu'à elle.

« Elsbeth, voici ta nouvelle sœur, Eva. »

Elsbeth m'a souri plus largement et a posé la main sur mon bras :

« Bonjour, Eva », a-t-elle dit.

Je l'ai dévisagée sans répondre. Puis je l'ai laissée me mener jusqu'à la maison.

*
* *

Cette nuit-là, pour la première fois depuis je ne savais plus combien de temps, j'ai dormi dans un vrai lit, tellement plus confortable que celui, si dur et étroit, du Centre. On m'a donné une chemise de nuit ornée de dentelle et j'ai apprécié la douceur et la fraîcheur des draps. Comme Elsbeth et Peter, j'avais une chambre pour moi seule, plus une autre pièce pour travailler. J'ai admiré, avant que le sommeil ne commence à me gagner, les murs peints en rose et les rideaux assortis, que la brise printanière entrant par la fenêtre entrouverte soulevait légèrement. Mais l'odeur pénétrante qui m'avait frappée en arrivant s'insinuait aussi, de plus en plus forte.

« Eva ? » Frau Werner est apparue dans l'embrasure de la porte. Un terrible sentiment de solitude et de nostalgie m'a envahie. Jamais, à aucun moment, je n'avais autant désiré la présence de ma mère à mes côtés. J'ai répondu : « Oui ? » en me redressant. Ma voix semblait bizarre, presque comme si elle appartenait à quelqu'un d'autre. Mon vrai papa et ma vraie maman ne viendraient pas me chercher. J'étais désormais Eva, une Allemande. J'allais devoir vivre avec ces gens, les appeler Vater et Mutter, considérer leurs enfants comme mon frère et ma sœur. Je représentais l'espoir de l'Allemagne nouvelle.

Frau Werner s'est assise au bord de mon lit et a commencé à me caresser le visage et les cheveux. Elle avait des mains très douces. Puis elle s'est mise à fredonner un petit air et mes yeux ont brusquement ruisselé de larmes.

« Chut, Eva, Liebling, chut. »

Elle m'a attirée contre elle et m'a bercée tendrement. Je l'ai laissée faire, emplie de honte. C'était une nazie, une ennemie. Les siens avaient envahi mon pays, détruit ma vie de famille. Et pourtant, c'était une femme, ma nouvelle mère, qui tentait de me réconforter. Je ne pouvais pas m'empêcher de me sentir en sécurité dans ses bras.

Elle avait défait son chignon et ses longs cheveux blonds lui descendaient jusqu'aux épaules. J'ai laissé mes doigts courir entre les mèches au délicat parfum.

« C'est joli », ai-je chuchoté.

Elle a souri et m'a un peu écartée d'elle, pour mieux scruter mon visage.

« Toi aussi, Eva, tu as de beaux cheveux. Des cheveux allemands parfaits. »

J'ai sursauté. Des cheveux nazis. Les mêmes que ma vraie mère et ma grand-mère brossaient et nattaient en les ornant de fleurs.

« Nous pourrons leur offrir une vraie coupe, a-t-elle poursuivi, dès demain, si tu veux. Oh, Eva,

Elsbeth et moi, nous avons tant de choses à partager avec toi. Quel bonheur pour elle d'avoir une nouvelle sœur et pour moi d'avoir une nouvelle fille. »

Elle a brusquement essuyé une larme qui coulait sur sa joue, puis s'est penchée pour m'embrasser :

« Il faut dormir, maintenant, mon Eva chérie. »

Puis elle est partie, laissant derrière elle un sillage parfumé qui a masqué quelques instants la vilaine odeur venue du dehors. Dans le noir, j'ai touché du doigt la broche de ma grand-mère et fait défiler les visages de mes parents, d'Anechka et de Jaro. Maintenant, la question n'était plus : quand viendraient-ils me chercher ? Pour la première fois, j'ai commencé à me demander s'ils viendraient jamais.

Où étaient-ils donc tous ? De retour chez nous, dans la maison où j'avais grandi, bien au chaud et en sécurité ? Ou dans un camp de travail, attendant d'être libérés pour pouvoir me récupérer ? Ou peut-être en un lieu dont je n'avais même pas idée ? Étaient-ils heureux ? Savaient-ils que j'étais devenue une Allemande, une ennemie ? Pensaient-ils encore à moi ou m'avaient-ils oubliée ?

Milada, Milada, Milada…

Il m'a presque semblé entendre ce nom chuchoté par la brise qui soulevait les rideaux.

8

Mai 1944 :
Fürstenberg, Allemagne

L e lendemain matin, j'ai été réveillée par des rires qui venaient de la salle d'étude de Peter. Je me suis levée et je suis descendue sans bruit dans le hall d'entrée. Par la porte ouverte, je l'ai vu encore en pyjama, qui jouait à lutter avec son père.

« Vater, Vater, c'est moi le plus fort ! a-t-il crié, assis à califourchon sur Herr Werner à quatre pattes, la chemise sortie du pantalon, la veste d'uniforme posée sur une chaise.

— Ah, mais tu deviens un homme, un vrai ! » s'est exclamé celui-ci, en faisant basculer son fils sur le tapis pour le chatouiller.

Frau Werner a surgi derrière moi :

« Hans, a-t-elle dit, c'est l'heure de son bain. »

Tous deux se sont immobilisés et Herr Werner a lancé un méchant regard à sa femme :

« C'est bon pour mon fils d'apprendre à se défendre, a-t-il dit sèchement, il viendra faire sa toilette quand nous aurons fini, pas avant, compris ? »

Peter a dévisagé son père et sa mère à tour de rôle, puis il m'a aperçue et m'a tiré la langue. J'ai sursauté. Cela faisait longtemps que je n'avais plus eu de contact avec des garçons et cela m'a rappelé Jaro. Le père et le fils ont repris leur jeu et moi, j'ai suivi Frau Werner jusqu'à la salle de bains que je partagerais désormais avec Elsbeth. Tout y était d'un blanc étincelant et il y avait deux baignoires, dont l'une déjà pleine d'eau et de mousse.

« Helga, notre bonne, t'a préparé ton bain. Tiens, voilà un peignoir et ces serviettes sont pour toi. »

Ce n'était plus la tendre Mutter de la veille au soir, mais une maîtresse de maison efficace et précise, qui aidait sa fille à se préparer pour la journée. Elle m'a laissée seule et je me suis glissée dans l'eau chaude parfumée à la lavande, un véritable luxe. Je ne me rappelais plus quand j'avais pris mon dernier véritable bain. Au Centre, nous avions droit le matin à une rapide douche froide, avec un morceau de savon qui sentait mauvais. Cela nous réveillait, certes, mais ce n'était pas agréable et je ne me sentais jamais vraiment propre après. J'ai pris mon temps et laissé les gouttes ruisseler entre mes doigts. D'en bas, dans le hall, on entendait les rires de Peter, jusqu'à ce que Herr Werner le conduise enfin à sa propre salle de bains.

Ensuite, je suis allée prendre mon petit déjeuner à la cuisine, où j'ai apprécié de rester seule. Frau Werner s'affairait à dire à chacun des domestiques ce qu'il ou elle devait faire, Peter partait à l'école, Elsbeth restait à la maison, semblait-il. Et on entendait par moments la grosse voix et le pas lourd de Herr Werner. J'ai fini mon repas en silence, me demandant quelle serait ma place dans cette famille.

*
* *

Je me suis retrouvée un peu livrée à moi-même les premiers jours et j'ai essayé de me repérer dans cette immense maison et tout autour. Pour la première fois depuis deux ans, plus aucun garde ne me surveillait et j'ai pensé m'enfuir. J'aurais pu me cacher d'abord dans les bois tout proches, puis courir, courir jusqu'à l'épuisement, me coucher par terre et dormir, pour me réveiller de ce cauchemar et me retrouver dans mon lit à Lidice. Mais quelque chose me retenait.

Ce quelque chose, c'était l'odeur, l'odeur qui imprégnait tout, aussi bien dehors que dedans. Je n'avais jamais rien senti de semblable, nulle part, et son origine restait mystérieuse. À certains moments, c'était pire, à la limite du supportable et, à d'autres, presque inexistant. Je me doutais que ce qui la causait devait être à la fois proche et terrifiant. C'est la peur de ce que je risquais de découvrir qui m'empêchait de me sauver.

Au début, Elsbeth est restée auprès de moi, pour m'aider, bien sûr, mais elle sentait aussi que j'avais besoin de solitude. Si elle se faisait trop présente, sa mère ou une des servantes se chargeait de lui donner quelque chose à faire ailleurs.

Cette demeure ressemblait à un musée que j'avais visité autrefois à Prague. Je me rappelais les mêmes dorures, les mêmes lourdes boiseries, les mêmes meubles et bibelots sûrement coûteux et je ne touchais à rien, de peur de casser quelque chose de valeur.

Outre les chambres et les salles d'étude, il y avait au premier étage un vaste solarium, sans doute très agréable par beau temps. Le rez-de-chaussée était presque entièrement composé, outre le hall, d'un immense salon, d'où partait un élégant escalier. Au centre de cette pièce était installé un portrait de Hitler grandeur nature, encadré de deux bougies rouges toujours allumées et de bouquets de fleurs. Helga, la servante, les renouvelait quotidiennement et elle en disposait aussi partout dans la maison, comme pour masquer un peu l'épouvantable odeur.

À côté de l'escalier, j'ai découvert la bibliothèque, aux rayonnages croulant sous les livres et parfois si hauts qu'il fallait une échelle pour y accéder. Puis je suis arrivée devant une porte, toute simple comparée à celle des autres pièces, si bien que j'ai cru que c'était celle d'un placard ou d'une resserre. J'ai tourné la poignée mais n'ai pas pu ouvrir. J'ai insisté et soudain, Peter a surgi devant moi.

« Tu n'as pas le droit d'entrer là », m'a-t-il déclaré, et ses yeux verts me foudroyaient sous sa frange blonde.

« Je ne savais pas… J'ignorais… » ai-je balbutié en retirant ma main. Je n'avais même pas vu que Peter me suivait.

« C'est le bureau de Vater et lui seul a le droit d'y pénétrer. Moi, je peux quelquefois, mais pas toi. Jamais. »

Il parlait avec une telle autorité, presque comme un adulte, que j'ai eu peur. Les yeux verts n'étaient maintenant plus que deux étroites fentes.

« Bon, ça va, j'ai compris, ai-je dit.

— Si jamais tu insistes, tu auras de gros ennuis, a-t-il ajouté.

— Mais puisque j'ai compris…

— Vater est quelqu'un d'important. De très important. Ne l'oublie jamais. »

À cet instant, Elsbeth est apparue et l'a tiré par le bras :

« Laisse Eva tranquille, voyons. Et va à la cuisine. La cuisinière a préparé quelque chose que tu aimes bien.

— Des biscuits au chocolat ? »

D'un seul coup, il a eu un large sourire et est redevenu un joyeux petit garçon.

« Mais oui ! Dépêche-toi d'aller en manger pendant qu'ils sont encore chauds. »

Il est parti en courant et Elsbeth s'est alors tournée vers moi, le visage soudain très sérieux :

« Peter t'a dit vrai. Sur deux points.

— Lesquels ?

— D'abord que Vater est quelqu'un de très important dans le parti nazi et ensuite que tu aurais de gros ennuis si tu entrais dans cette pièce. Même Mutter n'a pas le droit d'y aller. Peter a l'autorisation, parfois, mais personne d'autre. Ne t'en approche pas. »

Elle me regardait droit dans les yeux et, au son

de sa voix, j'ai compris qu'il ne fallait pas poser de questions.

Herr Werner me faisait peur, mais il me fascinait aussi. Comme Fräulein Krüger, il pouvait se montrer plutôt agréable, mais on sentait quelque chose d'inquiétant, de cruel derrière cette façade. Il était grand et fort, son gros ventre débordait de son pantalon. Sa moustache, toujours impeccablement taillée, contrastait avec sa chevelure souvent en désordre, comme s'il y passait souvent la main. Il s'aspergeait d'eau de Cologne, mais d'autres odeurs flottaient autour de lui, le cigare, l'alcool et celle qui envahissait la maison.

On m'avait dit de l'appeler Vater, mais j'essayais de ne pas le faire. Ce mot-là me restait vraiment en travers de la gorge. Mon papa à moi, mon vrai papa, n'était pas du tout comme lui. Plus petit, plus mince, il riait facilement et ses yeux se plissaient dans ces moments-là, avec plein de minuscules rides autour. Il n'y avait rien de mystérieux en lui. Il savait se montrer sévère mais toujours juste et gentil avec tout le monde. Oui, un jour, il viendrait me chercher.

Chez Herr Werner, on sentait une certaine forme de gentillesse, mais en quantité limitée, comme si elle risquait de s'épuiser très vite. Il était brusque avec les domestiques et semblait tolérer tout juste la présence de Mutter et d'Elsbeth. Mais avec Peter, il se montrait toujours affectueux et, dès qu'ils jouaient ensemble, je le voyais sous un jour que je n'aurais jamais soupçonné. À cause de ce double visage, je n'avais pas confiance en lui.

Après quelques jours passés à me suivre d'un bout à l'autre de la maison, Elsbeth a décidé de prendre l'initiative et de me guider elle-même, en me fournissant certaines explications sur des pièces que je n'avais pas encore découvertes. Elle m'a conduite au sous-sol à ce qu'elle a appelé « la salle de sport », équipée de toutes sortes d'appareils de gymnastique, de poids et d'haltères, ainsi que d'une barre au mur, d'une cible pour fléchettes, d'un phonographe et d'un immense miroir. J'ai hoché la tête, sans rien dire, puis elle a ouvert une porte qui donnait sur une pièce de la taille de la salle à manger, suivie d'une autre, plus petite.

« Ça, a chuchoté Elsbeth, c'est notre abri antiaérien. »

Bien que les nazis aient envahi la Tchécoslovaquie en 1939, c'est-à-dire trois ans avant que je sois enlevée, il n'y avait pas eu de bombardements à Lidice pendant que j'y vivais encore. Par contre, au Centre, nous avions subi plusieurs alertes et on nous avait appris comment réagir. Dès qu'un coup de sifflet strident retentissait, presque toujours en pleine nuit, nous devions aussitôt nous lever, masquer les fenêtres avec des couvertures et descendre vite à la cave. Là, nous attendions, serrées les unes contre les autres, tandis que les avions alliés se rapprochaient en grondant et que nos vitres tremblaient sous l'impact des explosions de bombes. Nous n'avons jamais été touchées directement, mais après chaque nuit d'alerte, nous dormions mal pendant plusieurs jours. Depuis que j'étais chez les Werner, il n'y avait eu aucun bombardement.

« Heureusement, nous sommes ici assez loin de la zone des combats, a dit Elsbeth, mais Vater est quelqu'un de très important et nous habitons tout près de son lieu de travail. Il dirige un camp de prisonniers. »

Elle s'est interrompue pour me tapoter gentiment le bras :

« Mais ne t'inquiète pas. Nous n'avons encore jamais eu besoin de nous réfugier ici. Et puis, regarde ça : c'est une radio très spéciale. Elle marche avec des piles et on peut l'emporter partout. Maman en a une autre dans la lingerie. Elle aime être au courant du déroulement de la guerre. »

Bien sûr... La guerre... Il y avait une guerre, mais dans cette si belle maison, au milieu de tout ce luxe, c'était facile de l'oublier. Combattait-on encore les nazis quelque part ? Je redoutais que, désormais, ils ne soient les maîtres du monde. J'ai de nouveau hoché la tête, sans rien dire. Puis nous sommes remontées.

Outre Helga, la femme de chambre, et Erich, le maître d'hôtel, les Werner disposaient d'un chauffeur, Johann, d'un jardinier, Karl, et d'une cuisinière, Inge, logés dans une petite maison à l'orée du bois. Inge était vieille, très grosse et toute ridée. On ne l'appelait jamais par son prénom, elle était simplement « la cuisinière » et cela semblait lui convenir. Elle préparait les plats les plus délicieux qui soient, aromatisés d'épices que je ne connaissais pas.

D'habitude, Mutter et les enfants dînaient dans une petite pièce à côté de la cuisine. Mais si Herr Werner ne rentrait pas trop tard, la famille au complet prenait place dans la grande salle à manger, à une très longue table en bois poli, sous un énorme lustre en cristal. En ce cas, juste avant le repas, Helga grimpait sur une échelle pour aller allumer une par une les douzaines de bougies dans leur bougeoir individuel. Bien entendu, on aurait pu s'éclairer à l'électricité, mais ce lustre ancien faisait la fierté des Werner.

Le soir de mon premier repas dans cette pièce, Inge nous a servi quantité de choses succulentes : de la choucroute, du lard, des saucisses et, pour finir, un strudel aux pommes.

« Cela t'a plu, Eva ? m'a demandé Mutter, alors que nous achevions notre dessert.

— Oh oui, tout était excellent. »

Ma voix résonnait bizarrement dans cette vaste salle, au point que j'ai eu du mal à la reconnaître.

« Ici, on ne sert que ce qu'il y a de meilleur », a déclaré Herr Werner en vidant son verre de vin d'un coup.

J'ai terminé ma dernière bouchée de gâteau, puis j'ai pris mon assiette, me suis levée et ai tendu la main vers celle d'Elsbeth, assise à côté de moi. Tout le monde a semblé se pétrifier sur place et un silence de glace s'est abattu. Peter a écarquillé les yeux, la cuiller en l'air. J'ai immédiatement reposé mon assiette sur la table, avant de me rasseoir, sentant bien que j'avais fait une bêtise. Le rouge m'est monté aux joues.

« Eva, a dit Mutter d'une voix sévère, c'est aux domestiques de débarrasser la table. Ce n'est pas à toi. »

Personne ne bougeait. Je guettais la réaction de Herr Werner, sûre qu'il était du genre à me rouer de coups.

Helga a alors brusquement commencé à ôter les verres et les assiettes, ce qui m'a fait réagir aussitôt. Et j'ai exécuté le geste qu'on nous obligeait à répéter sans cesse au Centre. Je me suis levée, ai tendu le bras en direction du portrait de Hitler accroché au mur et j'ai dit : « Heil Hitler ! Je présente mes excuses au Führer et à la famille. »

Mutter a poussé un petit soupir de soulagement. Herr Werner a esquissé un signe de tête dans ma direction, l'incident était clos. Tout le monde s'est levé de table.

Le reste de la soirée et jusque tard dans la nuit, des pensées étranges, inquiétantes, m'ont tournoyé dans la tête. J'étais soucieuse, mais je n'arrivais pas à savoir pourquoi. J'ai essayé de me dire que c'était parce que je n'avais pas l'habitude de me faire servir. Mais au plus profond de moi, je sentais bien qu'il s'agissait de tout autre chose.

Je me suis repassé le film du dîner. Bon, j'avais commis une erreur, mais je m'étais excusée, en faisant le salut hitlérien. Ce n'était pas comme si je ne l'avais jamais exécuté auparavant. Depuis deux ans, au Centre, chaque matin commençait avec ce geste-là. Non, ce qui me tracassait le plus, c'est à quel point il m'était devenu naturel.

*
* *

Quelques jours plus tard, Peter a fait irruption dans le solarium, où je me trouvais, a jeté une lettre sur mes genoux et est reparti en courant. Les mains tremblantes, je l'ai ouverte et vu qu'elle était signée « Franziska ».

6 mai 1944

Très chère Eva,

D'abord, toutes mes meilleures pensées. J'ai été adoptée par la plus adorable des familles de Berlin. J'ai appris que tu habitais très près de chez nous, à Fürstenberg. C'est à une heure de voiture, encore moins en train. Il faut que tu viennes me voir bientôt. On m'a dit que ton père est un membre très important du parti nazi. Comme tu as de la chance ! Le mien est un soldat nazi, qui travaille ici dans un centre de tri. J'ai deux petites sœurs jumelles, très mignonnes. Elles nous donnent beaucoup de travail, à Mutter et à moi. Je me suis fait deux nouvelles amies, Hilde et Berta. Nous fréquentons la même école et je me suis aussi liée avec un garçon qui s'appelle Kellen et partage la plupart de mes idées. S'il te plaît, Eva, écris-moi et parle-moi de ta nouvelle famille. J'attends de tes nouvelles avec impatience.

Bien à toi
Franziska Schönfelder

Je suis restée assise un long moment, la lettre à la main. Franziska Schönfelder. Ruja avait disparu, ce n'était plus qu'à peine une ombre, un écho lointain. Puis je me suis levée et ai marché de long en large dans la pièce. Et je me suis rappelé la phrase prononcée une fois par Franziska, d'une voix monocorde : « Mes parents sont morts. Ils ont été tués pendant un bombardement allié. »

Alors j'ai déchiré la feuille de papier en tout petits morceaux que j'ai jetés dans la cheminée. Ruja avait disparu pour toujours, remplacée par une Allemande nommée Franziska.

*
* *

Peu à peu, je me suis adaptée à la routine de la vie chez les Werner. Le matin, Peter prenait le bus pour aller à l'école à Fürstenberg. Elsbeth et moi restions à la maison. Nous commencions la journée par de la gymnastique, de façon à rester en bonne santé, puis nous allions étudier l'économie domestique. L'après-midi était consacré à des cours d'arithmétique et de sciences naturelles, mais cela ne dépassait guère des séries d'additions et de soustractions, plus des leçons sur la biologie et l'origine des races. Assez vite, j'ai regretté le rythme du

Centre, les différents professeurs pour telle ou telle matière, l'émulation entre les élèves et les horaires réguliers. Mutter possédait son diplôme d'institutrice et elle se chargeait de toutes les matières. Elle était patiente, pleine de bonne volonté, Elsbeth aussi, mais c'est vite devenu très ennuyeux.

Un après-midi, il a été décidé que nous devions apprendre à nettoyer l'argenterie pour les grandes occasions où nous aurions à recevoir des hôtes importants. Nous nous sommes donc installées toutes les trois dans la grande salle à manger. Sur la longue table, Mutter a étalé les couverts et elle a sorti d'un tiroir un petit pot de produit d'entretien, un pot rond au couvercle métallique. D'un seul coup, cela m'en a rappelé un autre, qui contenait une sorte de gel que nous avions concocté à la maison, pour aplatir un peu les mèches toujours en désordre de Terezie.

J'aimais ses cheveux, qu'elle détestait. Elle tenait ses longues boucles brunes d'une de ses tantes et enrageait de ne jamais pouvoir les coiffer convenablement. Si j'essayais de les lui natter, cela ne tenait jamais plus de quelques heures. Aussi, un jour, nous avons essayé d'utiliser une sorte de pommade, un remède de ma grand-mère, qui sentait particulièrement mauvais, à base de vinaigre, de jaune d'œuf et autres ingrédients pris à la cuisine. Et nous avions versé ce mélange dans un pot qui ressemblait exactement à celui que je voyais maintenant devant moi. Il avait fallu des heures pour en enduire mèche après mèche la chevelure de Terezie. Mais au bout du compte, le résultat s'était soldé par une catastrophe, des boucles plus indociles encore qu'avant et Terezie n'avait plus voulu m'adresser la parole pendant une semaine entière. Les petits mots d'excuse que je lui glissais en classe, au risque de me faire punir par la maîtresse, ont fini par la radoucir et elle m'a répondu une lettre qui commençait par « Chère Eva... ».

J'ai secoué la tête. Mais non, elle n'avait pas écrit ce nom-là. Pas celui-là. Un autre.

« Eva ? »

J'ai sursauté et regardé autour de moi, pour me rendre compte que je me trouvais dans la salle à manger des Werner.

« Eva, Eva ! »

Elsbeth me secouait par le bras.

« Eva, tu te sens bien ? »

Mutter, le pot toujours à la main, s'est approchée et m'a tâté le front.

« Bon, ça va, il faut que tu te mettes au travail. Allez-y, les filles, Peter va bientôt rentrer. »

Et elle a quitté la pièce. J'ai pris un bougeoir en

argent et j'allais commencer à frotter quand Elsbeth a repris :

« Eva, Eva... »

Je me suis retournée et j'ai vu qu'elle s'était peint une moustache sous le nez. « Heil Hitler ! » a-t-elle dit en prenant une grosse voix. Et nous avons éclaté de rire toutes les deux. Elle a enchaîné ensuite les blagues et cela nous a bien aidées pour avancer dans notre tâche.

Elle était drôle, Elsbeth, vive et gaie, on ne pouvait que l'aimer. Peu à peu, je me suis mise à attendre avec impatience le moment où, après le dîner, nous montions toutes les deux dans sa chambre pour tricoter ou feuilleter des magazines de cinéma. Parfois nous discutions à propos d'actrices célèbres – laquelle, à notre avis était la plus belle ou la mieux habillée – et parfois nous tricotions sans parler, dans le seul cliquetis de nos aiguilles.

Un soir, nous avons entendu des rires en bas sur la pelouse et nous sommes allées regarder à la fenêtre. Herr Werner était rentré tôt et il jouait avec Peter. Elsbeth a poussé un gros soupir :

« C'est Peter qu'il préfère, a-t-elle dit d'une petite voix.

— Quoi ?

— Oui, c'est son préféré. Il me l'a dit une fois. Il pense que Peter deviendra un jour un bon nazi,

prêt à construire la nouvelle Allemagne hitlérienne.
Mais moi...

— Voyons, je suis sûre que ce n'est pas vrai. Peut-
être que ce jour-là, il était de mauvaise humeur ou
que...

— Non, c'est comme ça, et ce sera toujours
comme ça. »

Il y avait quelque chose de définitif dans le ton
de sa voix. Elle a secoué la tête, puis a esquissé un
pauvre sourire. Après quoi elle est venue se rasseoir
au bord de son lit, a repris ses aiguilles et a proposé
de me montrer un nouveau point de tricot.

Peter tenait dans sa vie une place assez compli-
quée. Il savait parfaitement qu'il était le favori et il
se servait des faiblesses de son père à son égard pour
obtenir tout ce qu'il voulait, parfois aux dépens des
autres. À certains moments, sa sœur arrivait tout
juste à le supporter. À d'autres, elle s'occupait de
lui avec beaucoup de tendresse.

Un jour, il est rentré de l'école d'humeur particulièrement maussade. Ne trouvant rien de spécial
à faire, il s'est mis à nous suivre, Elsbeth et moi, en
imitant tout ce que nous faisions et en répétant tout
ce que nous disions.

« Viens, Eva, sortons un peu, allons nous asseoir
dans l'herbe, a proposé Elsbeth.

— Viens, Eva, a tout de suite enchaîné Peter en

prenant sa voix haut perchée, sortons un peu, allons nous asseoir dans l'herbe.

— Ne fais pas attention à lui, Eva, ce n'est qu'un sale gamin mal élevé.

— Ne fais pas attention à lui, Eva, ce n'est qu'un sale gamin mal élevé », a repris Peter.

Nous sommes allées sur la pelouse, derrière la maison. Cet après-midi-là, l'odeur était forte mais nous avons essayé de ne pas y prêter attention, comme d'habitude. Peter marchait derrière nous, en faisant semblant de trébucher sur de hauts talons, Kaiser derrière lui, qui reniflait par terre et agitait sa queue.

Elsbeth s'est brusquement retournée et a foncé sur son frère, qui a pris peur et s'est enfui en criant. Mais elle était plus rapide, elle l'a rattrapé et l'a fait tomber. Ils ont roulé l'un sur l'autre et elle l'a chatouillé jusqu'à ce qu'il la supplie d'arrêter.

« Bon, mais tu cesses de nous suivre partout, Eva et moi.

— Oui, oui ! a répondu Peter en se tordant de rire.

— Et tu reconnais que je suis ta reine et que tu es mon esclave !

— Non, non, tu n'es qu'une fille stupide ! »

Elsbeth, qui le tenait cloué au sol, lui a alors ôté un soulier et une chaussette et l'a chatouillé sous le pied. Je les regardais tous les deux et repensais à nos bagarres à Jaro et à moi, tellement semblables à celle-ci.

« Arrête, arrête ! a crié Peter. D'accord, tu es ma reine et je suis ton esclave.

— Plus fort !

— TU ES MA REINE ET JE SUIS TON ESCLAVE ! »

Elsbeth l'a alors lâché et il est resté un instant couché dans l'herbe, haletant. Kaiser s'est approché et lui a léché le visage. Brusquement, il s'est assis et a essayé d'attraper Elsbeth par la cheville pour la faire tomber. Mais elle était plus forte que lui et il n'y est pas arrivé.

« Oh, Peter, ton nez ! » s'est-elle alors exclamée. Un petit filet de sang coulait sur sa joue.

« Oh, je suis désolée… »

Elle a pris son mouchoir et a voulu lui essuyer la lèvre.

« Non, ce n'est pas comme ça », ai-je dit en me précipitant pour les aider. Et j'ai appuyé sur la narine, comme on m'avait appris à le faire au Centre, pendant nos cours de « premiers secours ».

« Ça va, ce n'est pas grave, a déclaré Peter en nous regardant toutes les deux. Je ne dirai rien à Vater. »

Elsbeth l'a aidé à se relever et l'a ramené lentement à la maison. Je les ai regardés s'éloigner et ai soudain pensé que je les aimais vraiment bien, tous les deux.

*
* *

J'appréciais les soirées passées avec Elsbeth dans sa chambre, mais aussi, beaucoup, le moment où Mutter venait me border dans mon lit. J'adorais la douceur de ses mains qui caressaient mes cheveux et le parfum fleuri qui flottait toujours autour d'elle.

Quelques semaines après mon arrivée, elle est restée plus longtemps que d'habitude, en chantonnant un petit air. Je commençais à m'endormir quand elle m'a demandé :

« Eva ?

— Oui ?

— Quel est ton gâteau préféré ?

— Mon gâteau préféré ? Pourquoi ?

— Eh bien, nous avions l'intention de te faire la surprise, mais… Voilà, il va y avoir une fête en ton honneur. Et je voudrais que la cuisinière te fasse ton gâteau préféré. C'est pour fêter ton adoption. »

D'un seul coup, tout mon corps s'est pétrifié.

« Ton Vater tenait à ce que ce soit une surprise, mais j'ai pensé que cela te ferait plaisir de participer aux préparatifs. Il m'a donc permis de t'en parler et... »

Je l'ai interrompue :

« Je vais être adoptée ?

— Oui, mon Eva. »

Je me suis redressée, suis sortie de mon lit et ai marché jusqu'à la fenêtre. Je sentais le parquet sous mes pieds nus. J'ai regardé l'obscurité, dehors, en tentant de lutter contre le désespoir absolu qui m'envahissait. J'ai essayé d'avaler. Mutter continuait à parler :

« Cela va être merveilleux. Nous avons pensé à quelque chose au chocolat parce que Elsbeth a l'impression que c'est ce que tu aimes le mieux. On va décorer la maison, tu auras une jolie robe...

— Mais... »

J'avais du mal à retenir mes larmes.

« Je savais que cela te ferait plaisir. Allons, viens te recoucher et couvre-toi bien. Il faut que tu te reposes, mon Eva. La fête a lieu dans trois semaines et il y a tant à faire. »

Elle s'est penchée pour m'embrasser, a éteint la lumière, puis a quitté la pièce. Je suis restée longtemps sans pouvoir bouger. Donc, tout était fini. Je n'avais plus aucun espoir. Papa et Maman ne viendraient pas me chercher. Je ne retournerais jamais chez moi.

Quand, des heures plus tard, j'ai réussi à m'endormir, j'ai rêvé de ma grand-mère. Elle était assise dans une petite pièce, à la fois étrange et familière. Ma chambre, à Lidice. J'ai tendu la main vers elle, j'ai voulu l'appeler, mais aucun son n'est sorti de ma gorge.

Quand j'ai ouvert les yeux, j'ai vu des murs roses, des rideaux assortis et un grand portrait de Hitler. Les premières lueurs du jour éclairaient la fenêtre. Dehors a résonné le chant d'une colombe, qui ressemblait à un pleur. Une nouvelle vie commençait.

9

Juin 1944 :
Fürstenberg, Allemagne

Quelques jours après, Mutter m'a demandé de venir avec elle dans la lingerie, où Elsbeth se trouvait déjà.

« Regarde, Eva, m'a-t-elle dit en me tendant une sublime robe longue, d'un bleu merveilleux. C'est pour toi.

— C'est magnifique, ai-je chuchoté en caressant du doigt le tissu très doux.

— Mutter l'a taillée et cousue elle-même, a précisé Elsbeth. Tu la porteras à ta fête d'adoption. »

J'ai dévisagé Mutter. Elle me souriait, mais je la sentais nerveuse. Cette femme m'aimait, voulait me faire plaisir et, en même temps, elle avait besoin de moi. J'ai senti une boule se former dans ma gorge.

« Ça te plaît ? m'a-t-elle demandé.

— Oh oui, c'est magnifique, ai-je répété, presque effrayée que quelqu'un ait pris la peine de confectionner quelque chose d'aussi beau pour moi.

— Pourquoi ne l'essaies-tu pas, Liebling ? » a alors dit Mutter.

J'ai emporté ma robe dans ma chambre et l'ai tenue devant moi, pour me contempler dans le miroir. Le satin bleu était presque exactement de la même couleur que mes yeux.

J'ai ôté ma jupe, l'ai posée sur le lit, puis comme chaque fois que je me déshabillais, j'ai détaché la broche de ma grand-mère, cachée dans l'ourlet. Mais j'ai réfléchi que ce serait trop risqué de l'épingler sur le tissu de ma nouvelle robe que je pouvais déchirer. J'ai donc pris un mouchoir en dentelle dans le tiroir de la commode, l'ai bien enroulée dedans et cachée au milieu de mes sous-vêtements.

Puis j'ai enfilé ma robe, qui m'allait à la perfection, et j'ai tournoyé deux ou trois fois devant la glace. Mutter est apparue dans l'embrasure de la porte. Elle avait les larmes aux yeux :

« Je suis si heureuse qu'elle te plaise, a-t-elle dit.

— On va bien s'amuser à ta fête ! » a ajouté Elsbeth, qui nous a rejointes.

J'ai fait oui de la tête en tournant encore sur moi-même pour m'admirer et je me suis demandé si je ne me sentais pas devenir une princesse.

*

* *

Au cours des trois semaines suivantes, la maison a bourdonné d'activité. Mutter cousait des sortes de bannières en satin rouge pour décorer le grand salon et la cuisinière testait différentes recettes pour le menu du festin prévu. Herr Werner est rentré plus tôt de son travail plusieurs jours de suite pour aider aux préparatifs et même Peter s'est montré moins capricieux que d'habitude.

Elsbeth et moi avons été chargées de broder de petits motifs sur les serviettes de table. Un soir, nous étions assises toutes les deux dans ma chambre, très occupées par notre travail. Par la fenêtre ouverte, la brise venait soulever doucement les rideaux. On ne sentait presque pas l'odeur, pour une fois. Tout semblait paisible, en ordre, comme si je faisais réellement partie d'une famille à nouveau.

Soudain, j'ai repensé à ma grand-mère et je l'ai revue assise dans son fauteuil à bascule, en train de faire de la dentelle avec une petite navette en argent qu'elle utilisait souvent.

« C'est exactement comme... » ai-je commencé à dire à Elsbeth. J'avais envie d'un seul coup de lui parler de ma grand-mère, de ma famille, tant que j'en gardais un souvenir si précis et si beau. Mais on aurait dit qu'un lourd nuage noir venait de s'abattre sur une partie de mon cerveau. Je ne me rappelais plus le nom que je donnais à ma grand-mère dans la langue de mon enfance.

« Comme quoi ? a demandé Elsbeth en posant son aiguille et en se tournant vers moi.

— Comme... Je ne me souviens plus. »

Je me suis levée et j'ai fait quelques pas dans la pièce. Je voulais retrouver le moment exact où ce mot si précieux m'était sorti de l'esprit. Quand, mais quand ? Et comment pouvais-je l'avoir oublié ?

« Si tu ne t'en souviens pas, a remarqué Elsbeth en reprenant son ouvrage, c'est qu'il ne s'agit pas de quelque chose d'important. »

Ce soir-là, j'ai fouillé les recoins de ma mémoire pour retrouver le mot tchèque par lequel je désignais ma grand-mère. Sans succès. J'ai cherché d'autres mots, essayé de dire des phrases mais j'ai compris que je ne me souvenais plus de rien dans ma langue maternelle, celle avec laquelle j'avais grandi. Des larmes ont coulé sur mes joues. Je

découvrais qu'une autre part de moi-même m'échap-
pait, tel un ballon qui s'envole vers le ciel. Et je ne
l'avais même pas vue s'en aller.

*

* *

Quelques jours ont passé. Nous avions dîné seules
avec Mutter, Elsbeth et moi. Herr Werner travaillait tard et Peter se trouvait chez un camarade de
classe. À la fin du repas, la cuisinière est apparue
dans la petite salle à manger, tenant une casserole
et deux cuillers.

« Je viens de préparer la pâte du gâteau. Vous aime-
riez lécher la casserole, mesdemoiselles ? a-t-elle
demandé, en nous faisant un petit clin d'œil, car
elle se doutait bien de la réponse.

— Et comment ! s'est exclamée Elsbeth.

— Très bien, a dit Mutter, mais je ne veux pas
que vous fassiez des saletés ici. Allez manger cela
dehors. »

Elsbeth a pris la casserole, moi les cuillers, et nous
sommes allées nous asseoir sous le porche. Kaiser
nous a suivies, en agitant frénétiquement la queue,
pour nous signifier qu'il voulait lui aussi goûter à
cette bonne chose. Nous avons raclé la pâte jusqu'à
la dernière miette et il a eu le droit d'en avoir un

peu au bout de nos doigts. Après, nous nous sommes couchées dans l'herbe pour regarder les étoiles. Il y en avait des milliers qui scintillaient. Nous n'avons pas parlé pendant un assez long moment. Kaiser était venu se glisser entre nous.

« Je me demande pourquoi elles clignent comme ça, a finalement dit Elsbeth. Elles ressemblent à de petites bougies.

— Je ne crois pas, ai-je répondu. Je sais que chacune est en réalité semblable à un gros soleil, qui dégage beaucoup de chaleur et beaucoup de lumière.

— C'est dommage que l'odeur soit si forte, ce soir. Je pourrais rester des heures à contempler le ciel, a repris Elsbeth au bout de quelques minutes.

— Oui, ça commence à me faire mal à la tête. On devrait peut-être rentrer.

— Les fours doivent brûler à plein régime, c'est pour ça.

— Les fours ? Ce sont des fours qui provoquent cette odeur ? Où sont-ils ? »

Personne ne m'avait encore parlé de ce qui causait cette puanteur.

« Ils sont dans le camp dont Vater est le commandant, a répondu Elsbeth.

— Je croyais qu'il dirigeait un camp de prisonniers.

— Mais c'est ce qu'il fait.

— Alors pourquoi y a-t-il des fours là-bas ? Qu'est-ce qu'on y brûle ?

— Eva, on n'y brûle pas ce qu'on met normalement dans un four. J'ai entendu Vater en parler une fois à Mutter. »

Je voyais qu'Elsbeth essayait de m'expliquer quelque chose, mais qu'elle n'y arrivait pas.

« Je ne comprends pas, ai-je dit.

— Eva, écoute... Il y a beaucoup de malades, dans le camp. Et... Eh bien, des prisonniers meurent. Il n'y a pas assez de place pour les enterrer. Alors, dans les fours, on...

— Oh ! »

J'ai vite levé la main pour qu'elle ne m'en dise pas plus. J'ai répété : « Oh ! », et j'ai commencé à avoir encore plus mal à l'estomac qu'à la tête. « Je ne veux plus qu'on parle de ça. »

Elsbeth a acquiescé, puis elle a pris la casserole et est rentrée dans la maison. Je suis restée encore quelques instants sous le porche, à contempler les étoiles. Je regrettais d'avoir posé ces questions. J'aurais voulu ne jamais connaître l'origine de cette horrible odeur.

10

Juin 1944 :
Fürstenberg, Allemagne

L e jour de ma fête d'adoption, la maison était pleine de monde. Des douzaines de nazis en uniformes couverts de décorations sont arrivés au bras de femmes suprêmement élégantes. Tous riaient et bavardaient gaiement.

Dehors se succédaient de longues voitures noires, garées ensuite dans l'allée principale. Les chauffeurs avaient une tente installée spécialement pour eux sur la pelouse, où ils pouvaient boire et fumer à leur aise.

J'ai circulé dans toutes les pièces du rez-de-chaussée, un peu intimidée par une telle débauche de luxe. Je n'en revenais pas que tout ceci soit en mon honneur. Mon cœur battait fort. J'avais l'impression d'être une princesse, avec ma belle robe bleue, ornée d'une rose rouge épinglée sur le corsage. Mutter m'avait coiffée elle-même, d'une natte enroulée autour de la tête, avec de petites fleurs blanches piquées un peu partout. Je me suis arrêtée devant l'imposant miroir du hall, pour m'admirer.

Puis j'ai commencé à remonter le grand escalier, mais un jeune homme et une jeune femme m'ont arrêtée au passage, au moment où Erich leur présentait un plateau chargé de verres de punch.

« Eva ! s'est exclamée la femme. C'est bien toi ? Nous allons boire à ta santé, Gerald et moi ! Heil Hitler ! À toi et à la nouvelle Allemagne !

— Heil Hitler ! » a enchaîné le garçon en me faisant un clin d'œil.

Je leur ai souri et ai regagné l'étage. Par la porte ouverte de sa chambre, j'ai vu Elsbeth assise sur son lit avec deux autres filles. Quand elle m'a aperçue, elle est aussitôt venue me prendre par la main. Elle portait une longue robe blanche, également l'œuvre de Mutter, avec l'écharpe de la Ligue des jeunes filles allemandes drapée devant et ornée d'une rose blanche.

« Viens faire la connaissance de mes amies,

a-t-elle dit. Voici Lotte et Willa. Je vous présente ma... ma sœur, Eva. »

C'était la première fois qu'elle m'appelait sa sœur et elle m'a souri en le disant.

« Eva, quel plaisir de te rencontrer ! »

Et Lotte est venue passer un bras autour de mes épaules.

« Comme j'aimerais avoir une nouvelle sœur, moi aussi », a ajouté Willa.

Au même instant, les notes d'un petit bugle ont résonné en bas et un grand silence s'est aussitôt fait. Elsbeth m'a intimé :

« Vite, Eva, il faut que tu descendes. »

Les invités étaient en train de se rassembler dans le vaste salon, si nombreux que certains allaient devoir rester dans le hall. Les murs étaient décorés de bannières en satin rouge, cousues par Mutter, ainsi que le plafond. Partout étaient disposés des vases remplis de roses rouges, ainsi que des douzaines de bougies rouges allumées devant le portrait de Hitler.

Herr Werner et Mutter sont montés sur une petite estrade, installés au milieu de la pièce, Peter à côté d'eux, un bugle à la main. Mutter, en souriant, m'a fait signe d'approcher. Elsbeth m'a gentiment poussée dans le dos : « Va, Eva, a-t-elle chuchoté, tout ceci est pour toi. »

Herr Werner m'a souri à son tour et c'était la première fois qu'il le faisait vraiment, que cela s'adressait directement à moi. Très intimidée, d'un seul coup, j'ai souri aussi et je suis venue me placer tout contre Mutter. Erich et Helga distribuaient des verres de champagne.

« Amis et camarades, a alors déclaré Herr Werner, aujourd'hui nous accueillons dans notre famille notre nouvelle fille allemande, Eva. Nous sommes fiers d'avoir désormais trois enfants pour nous aider à construire la nouvelle Allemagne. »

Puis il s'est tourné vers Mutter, dont les yeux brillaient de larmes. Elle est descendue de l'estrade et un jeune homme est venu lui passer autour du cou un ruban orné d'une médaille.

« Heil Hitler ! a aboyé Herr Werner en faisant le salut hitlérien.

— Heil Hitler ! » avons-nous tous répété, si fort que les pendeloques en cristal de l'énorme lustre se sont entrechoquées. J'ai levé le bras comme tout le monde.

Puis cela a été au tour de l'homme qui avait décoré Mutter de monter sur l'estrade :

« Je vais porter un toast, a-t-il déclaré en levant son verre. Je félicite la famille Werner de remplir son devoir, les Werner ne sont plus quatre, mais cinq. Je leur souhaite, en bons Allemands qu'ils sont, d'adopter beaucoup d'autres enfants ! »

Il a vidé son verre et les invités en ont fait autant, en répétant : « Heil Hitler ! » J'ai alors remarqué que presque toutes les femmes avaient autour du cou la même médaille que Mutter, pour certaines en bronze, pour d'autres en argent.

« Et maintenant, mes chers amis, a déclaré Herr Werner, notre cuisinière a préparé un repas très spécial dans la salle à manger. Allez-y et régalez-vous ! »

Tandis que chacun se dirigeait vers la longue table, Elsbeth et ses amies sont venues me rejoindre.

« Oh, Eva, tu ne trouves pas ça terriblement excitant ? s'est exclamée Lotte en me prenant la main.

— Si, bien sûr, ai-je répondu. Mais c'est quoi, cette médaille que Mutter a reçue ? Et celle que beaucoup de femmes portent ?

— Ma mère aussi en a une, a dit Lotte.

— Celle de ma mère est en or ! » a ajouté fièrement Willa.

Elsbeth lui a sèchement coupé la parole, en levant les yeux au ciel :

« Ma mère vient tout juste de commencer, voyons. »

Puis elle s'est tournée vers moi :

« Quand une femme a au moins trois enfants, elle

reçoit la Médaille des Mères, en bronze, pour que
chacun sache qu'elle est une bonne citoyenne allemande. Dès qu'elle en a quatre, c'est une médaille
d'argent.

— Et quand elle en a au moins six, comme ma
mère, elle en reçoit une en or, s'est dépêchée d'ajou-
ter Willa.

— Oh », ai-je simplement dit. Je venais de comprendre ce que j'apportais à la famille Werner et
cela me donnait soudain le sentiment d'être très
importante.

« Viens, Eva, a ajouté Elsbeth, allons goûter à
toutes ces bonnes choses ! »

*
* *

Tard, quand la fête s'est terminée, je suis allée
m'asseoir sur la balançoire, dans le jardin, et j'ai
écouté les chaînes grincer. Elsbeth est venue me
rejoindre et s'est installée à côté de moi. Elle était
maintenant en chemise de nuit et ses cheveux sen-
taient bon, comme ceux de sa mère.

« C'était une belle fête, n'est-ce pas, Eva ?

— Très belle », ai-je répondu, et j'ai serré fort sa
main dans la mienne.

Nous nous sommes balancées au même rythme

sans parler. Je regardais alternativement le ciel et Elsbeth, en lui souriant. Pour la première fois depuis très longtemps, je me suis sentie heureuse et en paix.

11

Octobre 1944 :
Fürstenberg, Allemagne

À l'été a succédé l'automne, et certaines choses ont commencé à changer, à la maison d'abord, mais en Allemagne aussi. Le matin, il y avait du givre sur l'herbe, ce qui donnait aux pelouses un aspect calme et paisible. Mais la nuit, on entendait les bruits de la guerre. Des avions passaient en grondant au-dessus de nous et des fenêtres du solarium où nous allions scruter l'obscurité, Elsbeth et moi, on voyait au loin les bombes exploser en touchant le sol. C'était la première fois que je me trouvais si près des combats. La maison des Werner qui m'avait semblé au début si imposante, si sûre, me paraissait maintenant infiniment vulnérable.

Mutter passait de plus en plus de temps dans la lingerie à écouter la radio. Je remarquais son air soucieux et il lui arrivait de plus en plus souvent de se montrer irritable.

« C'est à cause de la guerre, m'a expliqué un soir Elsbeth, alors que nous étions dans sa chambre, très occupées à tricoter des écharpes. Je crois, a-t-elle ajouté, puis elle s'est interrompue pour aller fermer la porte. Je crois, a-t-elle repris, que notre Führer... Enfin, que notre Führer... Qu'il a de grosses difficultés. »

Elle avait du mal à trouver ses mots et parlait presque tout bas :

« Les Alliés avancent. Vater serait furieux s'il le savait, mais quand Mutter écoute la radio, je me cache dans le couloir et je tends l'oreille. Et ça, c'est ce qui a été annoncé hier. »

La peur m'a envahie et j'ai posé mes aiguilles. Qu'est-ce que cela allait signifier pour moi ? Me faire enlever à nouveau ? Adopter par une autre famille ?

« Qu'est-ce qui va se passer ? ai-je demandé à Elsbeth, qui avait repris son tricot et ne me regardait pas.

— Oh, rien de spécial, a-t-elle répondu. Je suis désolée, Eva, je ne voulais pas te faire peur. Tu sais à quel point l'Allemagne est forte. Nous vaincrons nos ennemis. Tout ira bien, tu verras. »

Là-dessus, elle s'est levée brusquement et s'est précipitée pour ouvrir la porte. Peter, qui était juste derrière, a failli tomber. De toute évidence, il essayait de savoir de quoi nous parlions. Il s'est rué vers le bureau de son père en criant : « Vater, Vater, Elsbeth et Eva s'étaient enfermées ! Elles se disaient des secrets ! Vater ! »

Elsbeth s'est contentée de lever les yeux au ciel. Puis elle m'a souri :

« Tu sais, Eva, quand je l'aurai terminée, je crois que j'enverrai mon écharpe à un de nos soldats au front. Pour qu'il n'ait pas froid cet hiver. Tu devrais en faire autant. »

J'ai regardé l'écharpe que j'étais en train de tricoter. Elle était presque finie. Mais même en faisant un effort, je ne parvenais pas à l'imaginer au cou d'un soldat allemand.

*
* *

Le lendemain, Mutter a eu l'air très préoccupée pendant notre leçon d'économie domestique.

« Écoutez, les filles, a-t-elle finalement dit, ce serait peut-être bon pour vous d'aller prendre un peu d'exercice. Préparez-vous un petit pique-nique, vous déjeunerez dehors. L'air vous fera du bien. »

Les yeux d'Elsbeth se sont illuminés. Elle avait parlé plusieurs fois de m'emmener faire un tour dans les bois proches de la maison.

« Merci, Mutter, s'est-elle exclamée.

— Merci, Mutter », ai-je dit en écho.

Mutter m'a serrée dans ses bras :

« Tout ira mieux quand cette guerre sera finie. Nous pourrons oublier tout le mal que nos ennemis nous ont fait et profiter de la vie. »

J'ai acquiescé de la tête, puis filé avec Elsbeth dans la cuisine, nous servir dans le réfrigérateur. Nous avons pris aussi une couverture et nous sommes sorties. Le temps était merveilleux, ensoleillé et frais. On ne sentait qu'à peine l'odeur ce jour-là.

Une fois dans les bois, Elsbeth a posé le panier avec notre repas par terre et a écarté les bras en s'écriant : « Vive la liberté ! » Elle a respiré un bon coup, puis m'a dit :

« Attrape-moi si tu peux ! »

Et elle est partie en courant, Kaiser à sa suite. Nous nous sommes poursuivies en riant le long d'un sentier tapissé de feuilles mortes qui crissaient sous nos pas. Brusquement, elle s'est arrêtée, redevenue sérieuse d'un seul coup. Puis avec un petit sourire malicieux, elle m'a demandé :

« Tu promets de garder le secret ? J'ai quelque chose à te montrer.

— C'est quoi ?

— Tu verras. Tu promets ?

— Bien sûr. »

En sautillant, Kaiser toujours derrière elle, elle s'est éloignée du chemin, pour s'enfoncer entre les arbres jusqu'à une petite clairière, bordée de chênes. Sur trois d'entre eux, j'ai vu une marque ronde et rouge.

« Vater est persuadé que je ne suis pas au courant. Il me croit stupide. Mais...

— Où sommes-nous ? Explique-moi. »

Elle a gonflé sa poitrine, essayé de prendre une grosse voix et tendu le ventre en avant :

« Ceci, ma chère Eva, est le lieu où les hommes apprennent à devenir des hommes. Je suis Herr Werner et voici mon royaume. »

Elle imitait si bien son père que je n'ai pas pu m'empêcher de rire. Mais elle a vite cessé de faire le clown :

« Eva, c'est là que Vater emmène Peter pour lui apprendre à tirer.

— Oh, je comprends, les ronds rouges sont des cibles.

— Attends, tu n'as pas tout vu. »

Elsbeth s'est glissée derrière un arbre et a déplacé une grosse pierre. Dessous, j'ai vu un trou où il y avait un petit pistolet et un sac de munitions.

« Tu sais, je me suis entraînée toute seule. »

Très excitée, maintenant, elle parlait vite :

« Une fois, j'ai suivi Peter et Vater jusqu'ici et je les ai observés sans qu'ils me voient. Ils ne savent même pas que j'ai une arme. Tiens, prends-la. Tu as déjà tiré ? »

J'ai secoué la tête en refermant mes doigts autour du métal froid. Et je me suis souvenue des jours où un fusil me tenait en joue. Un sentiment de puissance s'est alors emparé de moi. Là, c'est moi qui avais une arme à la main.

« Où l'as-tu trouvée ? ai-je demandé.

— Un jour, Vater a oublié de fermer son bureau à clé. Tu n'imagines pas ce qu'il y a dedans. Quand il ne sera pas là, il faudra que je te montre. C'est rempli de documents officiels, de cartes, de toutes sortes de choses. Et des armes partout. Il ne s'apercevra même pas que ce petit pistolet a disparu. Tiens, je vais t'apprendre à le charger. »

Elle a soigneusement glissé les balles dans le chargeur. Puis elle m'a montré où me placer, comment tendre le bras et viser. C'était un bon professeur. Et elle m'a dit de ne pas tirer sur les arbres avec cible, de façon qu'il ne reste pas de trace de notre passage.

J'ai vite appris. Au bout de quelques coups à peine, j'ai touché le tronc que j'avais choisi. J'en tremblais d'excitation. Après, cela a été le tour d'Elsbeth et j'ai vu qu'elle était un tireur-né. Au bout du cinquième coup, elle m'a demandé :

« Tu as faim ?

— Non, je *meurs* de faim !

— Je connais l'endroit idéal pour pique-niquer. »

Nous avons ramassé les balles pour les cacher, avec le pistolet, sous la grosse pierre. Puis nous avons repris le panier et nous sommes enfoncées plus avant dans les bois.

La deuxième clairière où Elsbeth m'a conduite était effectivement parfaite, même si l'odeur y devenait plus forte. Malgré cela, nous avons étalé la couverture par terre et dévoré nos délicieux sandwichs. Elsbeth s'est mise à bavarder à propos de ses amies :

« Imagine qu'au bal des Jeunesses hitlériennes où nous sommes allées l'année dernière, Lotte s'est avancée droit sur un garçon et l'a invité à danser ! Tu te rends compte ?

— Oui... Enfin, pas vraiment...

— Il a accepté, et ils ont dansé ensemble. J'aimerais avoir cette audace. J'attends avec impatience le bal de cette année. On pourra y aller ensemble, Eva, et je demanderai peut-être à un garçon de danser avec moi. Qu'est-ce que tu en penses ?

— Oui, peut-être. »

Mon expérience avec des garçons était très limitée, mais de toute façon, je n'écoutais Elsbeth qu'à moitié. Je frémissais encore d'excitation à l'idée d'avoir appris à tirer. Soudain, elle s'est relevée :

« Il est tard, on ferait mieux de rentrer. Je ne crois pas que Vater serait très content de découvrir que Mutter nous a permis de manquer nos leçons tout l'après-midi. Je préfère arriver à la maison avant lui. »

Nous avons vite fini notre pique-nique, replié la couverture et pris le chemin du retour. Elsbeth marchait devant moi, en chantonnant l'hymne national allemand. J'ai traîné un peu en arrière, les yeux fermés, pour profiter des rayons du soleil. J'aurais voulu que cette promenade ne finisse pas déjà.

Soudain, j'ai entendu un autre chant, et ce n'était pas la voix d'Elsbeth :

> « *Où est ma patrie ? Où est ma patrie ?*
> *Dans ma patrie, l'eau murmurante*
> *Coule par les prairies...* »

J'ai brusquement ouvert les yeux, en me demandant si c'était réel ou simplement le fruit de mon imagination. Je connaissais ces mots, très bien, même, et pourtant je ne savais plus à quoi ils correspondaient. Elsbeth marchait toujours devant moi, le bras levé comme pour se moquer du salut hitlérien. J'ai tendu l'oreille.

Mais voyons, c'était du tchèque ! Ma langue ! Je me suis immobilisée. Avais-je bien entendu ? Oui, car le chant continuait, de plus en plus proche :

« *Des forêts bruissent sur les rochers,*
des jardins au printemps resplendissent de fleurs... »

Cette fois, je ne pouvais pas me tromper. On chantait en tchèque tout près. On aurait dit que c'était pour moi seule.

Je me suis mise à courir, j'ai dépassé Elsbeth et Kaiser, plus vite, encore plus vite, entre les arbres, droit devant moi. Il fallait que je sache qui chantait ainsi, et tant pis si ce n'était pas permis, tant pis pour la guerre, tant pis pour tout. Finalement, hors d'haleine, je suis arrivée devant une clôture en fer barbelé, à l'orée d'un immense terrain vague. L'odeur y était très forte, âcre, lourde, à la limite du supportable.

« Eva ! a alors crié Elsbeth en me rejoignant et en m'attrapant par les épaules, à bout de souffle, elle aussi. Eva ! Mais qu'est-ce que tu fais ? »

À une cinquantaine de mètres de nous, à peine, des femmes cassaient des pierres, à l'aide de grosses pioches. Elles chantaient au rythme de leurs mouvements.

En tchèque.

Cette langue, la mienne, que je croyais avoir perdue à jamais, j'en retrouvais des bribes, quelques mots au moins, restés ancrés dans ma mémoire. Et en les entendant, je me suis demandé si Papa et Maman ne se trouvaient pas là, pratiquement devant moi, m'ayant attendue depuis tout ce temps. La gorge soudain sèche, j'ai essayé de crier quelque chose en allemand à ces femmes. Elles étaient affreusement maigres, le visage décharné, les cheveux très courts et hirsutes. Elles portaient une sorte de robe rayée, marquée d'un triangle rouge à l'envers avec un T au milieu. Pratiquement aucune n'avait de bas ou de chaussettes et pourtant, il ne faisait pas chaud.

Je voulais les appeler, leur parler en tchèque, mais je ne trouvais pas mes mots. J'avais désespérément besoin de communiquer avec elles, de découvrir comment elles étaient arrivées là, de leur demander si Maman et ma grand-mère se trouvaient avec elles, si quelqu'un savait ce qui se passait aujourd'hui dans mon village, chez moi.

Elsbeth m'a obligée à me retourner :

« Eva ! »

J'ai bredouillé :

« C'est quoi, cet endroit ? Qui sont ces femmes ?

— C'est le camp de Ravensbrück, Eva. Un camp pour femmes. Celui dont Vater est le commandant. Ces femmes sont méchantes, presque toutes sont juives. Nous ne devrions pas rester là. C'est défendu.

— Tant pis. »

J'ai encore tenté de crier des mots en tchèque, mais aucun ne réussissait à sortir de ma bouche. Les femmes ne me voyaient pas, elles continuaient à casser des pierres. J'ai alors senti quelque chose se briser en moi et j'ai frappé les barbelés des deux mains.

« Eva ! »

Elsbeth m'a forcée à m'écarter et m'a ramenée en arrière, dans le sous-bois. J'ai crié : « Non ! » Mais j'étais impuissante, incapable de communiquer avec les prisonnières. Nous avons finalement regagné le sentier. J'ai regardé mes paumes, striées de minces filets de sang. Elsbeth a pris une serviette dans le panier du pique-nique et les a essuyées :

« Il ne faut pas que Mutter voie ça, Eva, m'a-t-elle dit. Nous aurions des ennuis si elle savait que nous sommes allées là-bas. N'en parle à personne. Et n'essaie pas d'y revenir. C'est un endroit dangereux, mauvais. Tu m'entends, Eva ? Il ne faut pas y retourner. »

Elle ne me regardait pas et parlait d'une voix dure. Puis nous sommes reparties en silence. Tout tournoyait dans ma tête, des questions, des sentiments que je ne comprenais pas. Que venais-je donc de découvrir, exactement ? Et qu'est-ce que cela signifiait ?

Quand nous sommes arrivées à la maison, je ne saignais plus mais mes mains me brûlaient. Kaiser gémissait derrière moi, comme s'il comprenait que quelque chose n'allait pas. Le vent qui s'était levé semblait entraîner au loin le camp, la chanson et les prisonnières.

*
* *

Je suis montée droit dans ma chambre, incapable de dire quoi que ce soit à Mutter. J'avais besoin d'être seule. En passant devant la chambre d'Elsbeth, j'ai vu posée sur son lit l'écharpe qu'elle tricotait la veille. Pour un soldat allemand. Pendant que des Tchèques avaient faim et froid, dans un camp situé juste derrière la maison, ou presque.

Dans ma chambre, je me suis plantée devant la glace et j'ai vu une Allemande, une « aryenne », qui me contemplait. J'ai touché ses cheveux blonds, scruté ses yeux bleus, essayant de découvrir ce qui pouvait rester en elle d'une petite fille tchèque. Qu'étais-je donc devenue ? Une jeune Allemande qui faisait le salut hitlérien à table, comme quelque chose de parfaitement naturel. J'ai regardé ma jupe bien chaude, mes joues roses... En quoi étais-je finalement différente de Franziska ?

J'ai senti mon estomac se contracter, puis brusquement, j'ai tourné les talons. Je ne voulais plus me poser de questions. Je me sentais dans une sorte de brouillard, tout en sachant que j'avais plus ou moins retrouvé celle que j'étais autrefois. Mais j'ignorais ce que cela allait réellement signifier.

*

* *

Cette nuit-là, mes rêves ont été traversés d'images et de mots, jusqu'à ce que je me réveille en sursaut. Je me suis assise dans mon lit, en me demandant si je n'avais pas perdu quelque chose de bien réel : la broche de ma grand-mère.

Depuis combien de temps n'y avais-je pas touché ? Comment pouvais-je l'avoir oubliée ? J'ai rejeté mes couvertures et me suis levée. Tout doucement, je suis allée ouvrir un tiroir pour en sortir le mouchoir dans lequel je l'avais enveloppée le jour de ma fête d'adoption. Des semaines auparavant.

Elle était bien là, exactement comme je m'en souvenais. J'ai caressé du doigt chaque petite pierre, et des larmes de soulagement me sont montées aux yeux, tandis que je retrouvais une partie, très petite, certes, mais bien réelle, de ma vie d'avant.

J'ai essayé de revoir le visage de Maman, celui de Papa, celui de ma grand-mère, d'Anechka et de Jaro. Cela faisait combien de temps que je n'avais pas pensé à eux ? J'ai épinglé la petite étoile en grenat dans les plis de ma chemise de nuit, pour qu'elle reste tout contre moi et m'aide à ne pas oublier les prisonnières. J'ai essayé de retrouver les paroles qu'elles chantaient et de les prononcer tout bas. Il fallait absolument que je comprenne ce que la découverte de ce camp allait signifier pour moi.

12

Hiver – printemps 1945 : Fürstenberg, Allemagne

Tout au long de l'automne, puis de l'hiver, le ciel est devenu un champ de bataille permanent. Jour et nuit des avions le sillonnaient, le grondement des moteurs par moments couverts par les tirs d'artillerie. Chez nous, la tension grandissait. On ne pouvait plus nier la réalité de la guerre, ni le fait que nous ne disposions plus des mêmes ressources qu'avant.

Peter a bruyamment sangloté quand Mutter a dit à la cuisinière qu'elle ne pouvait plus la garder. « Non, non, a-t-il crié en s'accrochant à la jupe d'Inge, c'est elle que je préfère, Mutter, c'est ma préférée !

— Peter, on ne peut pas faire autrement. »

Mais elle avait elle-même les larmes aux yeux.

Erich, Helga et les autres domestiques sont partis aussi. Mutter ne voulait pas nous répondre quand nous demandions pourquoi, mais Elsbeth m'a avoué que c'était parce que Herr Werner ne pouvait plus les payer. Nous avons commencé à ne plus avoir de quoi acheter à manger comme avant. Le sucre, la farine et la viande se faisaient rares. Peter demandait souvent à se resservir le soir, mais on le lui refusait. Moi aussi j'ai commencé à souffrir de la faim.

« Et toutes ces réserves qu'il y a dans l'abri ? a demandé Elsbeth, après un repas particulièrement frugal. Pourquoi on ne s'en sert pas ?

— Nein ! a répondu sèchement Mutter. Nous n'en avons pas besoin. Tout va bien. Vous avez ce qu'il vous faut. »

Elle passait maintenant presque tout son temps avec nous, ou à tricoter à côté de son poste de radio. Elle avait souvent les yeux rouges et gonflés.

Herr Werner restait parfois plusieurs jours de suite sur son lieu de travail. Quand il rentrait à la maison, il avait un regard bizarre et il allait et venait, les sourcils froncés, en marmonnant des choses incompréhensibles. L'uniforme sale et chiffonné, mal rasé, il ne se taillait même plus la moustache.

Nous n'étions plus obligées d'étudier, Elsbeth et moi, et passions nos journées dans sa chambre ou dans la mienne. Peter n'allait plus à l'école et il venait tout le temps nous embêter. Personne, à part Mutter et Herr Werner, n'avait le droit de sortir.

Tout changeait, en Allemagne. Et en moi aussi, je le sentais bien. J'avais conscience de la tension et de la peur qui s'insinuaient partout. Serais-je kidnappée, encore une fois ? Papa et Maman finiraient-ils par me retrouver ? Ou étaient-ils réellement morts, comme l'avait prétendu Fräulein Krüger ?

Les Werner seraient-ils désormais ma seule famille ? Je repensais souvent aux femmes qui cassaient des pierres, et le soir, dans mon lit, pendant que je caressais du doigt la broche de ma grand-mère, je me demandais ce qui allait nous arriver à tous.

*
* *

Très tard, un soir, j'ai été réveillée par des éclats de voix provenant de la chambre de Mutter et de Herr Werner. On entendait aussi des bruits de tiroirs qu'on ouvre et qu'on ferme, puis celui d'un verre qui se casse.

« Absolument pas ! Hans ! Tu n'y penses pas ! Hans ! Pose cette valise !

— Trude, écoute. La décision a été prise. Et pas par moi. Je n'ai pas le choix. Ce qui compte, c'est…

— Ce qui compte, c'est ta famille ! Comment peux-tu nous laisser seules ici ? Comment saurai-je où tu es ? Que ferons-nous ? Au moins, emmène-nous avec toi !

— Tu sais que ce n'est pas possible. Bon, maintenant, ça suffit ! Tu te conduis comme une idiote !

— Hans !

— J'ai dit, ça suffit ! »

Une gifle a claqué.

Tout doucement, je me suis glissée hors du lit, j'ai enfilé ma robe de chambre et ai gagné la chambre d'Elsbeth. Peter était venu dormir dans son lit et elle avait un bras autour de ses épaules, en un geste protecteur. Au loin, on entendait des bombes exploser.

« Tu sais qu'ils se disputent ? ai-je chuchoté.

— Oui, c'est à propos de la guerre. Vater dit que Berlin risque de tomber aux mains des Américains et des Russes. En ce cas, ils rechercheront les chefs nazis les plus importants et Vater a peur d'être arrêté, ou pire. Va te recoucher, Eva, tu n'y peux rien et moi non plus. »

Elle a doucement écarté les mèches blondes de Peter et lui a caressé le front. J'allais dire quelque chose, mais elle m'a fait signe de partir.

Sur la pointe des pieds, j'ai regagné ma chambre et je suis restée longtemps éveillée, à regarder le plafond. Je n'ai réussi à m'endormir qu'au bout de plusieurs heures.

Le lendemain matin, un silence anormal planait sur la maison. On n'entendait ni la voix d'Elsbeth, ni celle de Peter. Je suis descendue à la cuisine où j'ai trouvé Mutter assise près de la fenêtre, en train de boire du thé.

« Mutter ? » ai-je dit en posant la main sur son bras.

Elle s'est tournée vers moi et j'ai vu une marque rouge sur sa joue.

« Mutter, mais où sont les autres ?

— Elsbeth dort encore, il ne faut pas la réveiller. Ton Vater est parti se cacher. Les Russes recherchent les officiers nazis. Dès que les choses s'arrangeront, il reviendra. Il me l'a promis.

— Et Peter ? Où est Peter ? »

Mon estomac s'est brusquement contracté pendant que je posais la question.

« Lui et son chien sont avec ton Vater. Ils vont bientôt revenir. C'est promis. »

Elle m'a attrapée par le poignet et j'ai vu ses joues ruisseler de larmes. Au même instant, Elsbeth s'est encadrée dans la porte, encore en chemise de nuit. Elle avait des cernes sombres sous les yeux et les cheveux en désordre.

« Non, ils ne reviendront pas, Mutter, a-t-elle dit. Ils sont vraiment partis. Et nous devrions en faire autant. Nous ne sommes pas en sécurité, ici, pas du tout.

— Nein ! s'est exclamée Mutter en laissant tomber sa tasse qui s'est cassée en mille morceaux. Nein ! Je suis ici chez moi ! C'est ma maison, celle de ma famille. Je ne partirai jamais ! Hitler veillera sur nous. Nous attendrons ici le retour de votre Vater. Heil Hitler ! »

Et elle a esquissé le salut hitlérien. Sans un mot, Elsbeth a tourné les talons et est remontée dans sa chambre. Je suis restée un moment figée sur place, sans savoir quoi faire.

Puis Elsbeth est redescendue, les bras chargés de draps et de couvertures, qu'elle m'a fait signe de prendre. « Viens m'aider, Eva », a-t-elle dit, presque comme un ordre. Puis elle s'est tournée vers sa mère et a ajouté plus doucement : « Assieds-toi, Mutter, et bois ton thé. »

Mutter a ouvert la bouche, sans proférer un son. Elle est retournée à sa place, sans un regard pour les débris de sa tasse par terre.

Nous avons passé la journée à installer toutes sortes de choses dans l'abri, qui m'a paru beaucoup plus vaste que dans mon souvenir. Situé au fond de la cave, il se composait en réalité de deux pièces, une grande et une petite, plus une salle d'eau et des toilettes. Contre un mur étaient rabattus un sommier et un matelas, qu'on pouvait faire basculer pour la nuit. Il y avait aussi un garde-manger absolument bourré de boîtes de fruits et de légumes en conserve, ainsi que des sacs de viande séchée et de pommes séchées. J'ai même vu des douzaines de bouteilles d'eau minérale suisse, stockées là au cas où notre puits serait détruit. Sur des étagères étaient alignées des lampes à pétrole, des bidons d'essence, plusieurs torches électriques, des paquets de bougies et des piles. Dans un coin, on avait installé un petit poêle à bois, avec un tuyau d'aération vers l'extérieur. Cela m'a rassurée de constater que même si l'électricité était coupée, nous serions malgré tout éclairées et chauffées. Enfin, outre des couvertures, j'ai vu une trousse de secours et un poste de radio.

À cause de l'épaisseur des murs, les bruits du dehors, ceux de la guerre, ne nous parvenaient que de loin, comme étouffés. L'horrible odeur aussi devenait moins forte, parce qu'elle se mêlait à celle du moisi.

Elsbeth a préparé le lit pliant pour sa mère, elle a soigneusement mis les draps et j'ai bien tendu les couvertures. D'abord, Mutter a refusé de quitter la cuisine, refusé même de se lever de sa chaise. Puis elle s'est agrippée à la table, quand nous avons voulu l'entraîner de force, au point d'en avoir les jointures des doigts toutes blanches. Finalement, Elsbeth a eu l'idée de lui dire que nous avions besoin de son aide pour décrocher le grand portrait de Hitler qui se trouvait dans le salon. Aussitôt, elle nous a suivies et a porté le tableau jusque dans la cave, aussi soigneusement que s'il s'agissait d'un bébé. Elsbeth s'est chargée des deux bougies rouges, qu'elle a posées devant. Après quoi, Mutter est allée s'étendre sur le lit et, au bout de quelques minutes, elle dormait.

*

* *

Au fur et à mesure que les jours passaient, on a senti la guerre se rapprocher. Le grondement des avions ne cessait pas et les tirs des mitrailleuses se faisaient de plus en plus fréquents, suivis de brefs silences.

La deuxième semaine, l'électricité a été coupée et nous avons installé tout un système de lampes à pétrole et de bougies. Il fallait absolument économiser les piles. En guise de fenêtres, nous n'avions que deux lucarnes, en haut d'un mur d'une des deux pièces, avec des vitres très épaisses qui ne laissaient guère passer de lumière. Le froid se faisait sentir, malgré le poêle allumé dans la journée. Mais je voyais la réserve de bois diminuer et me demandais ce que nous pourrions bien brûler quand il ne resterait plus une seule bûche.

Blotties sous une couverture, nous tentions de tuer le temps, Elsbeth et moi, en jouant aux cartes ou en tricotant. Mutter restait prostrée devant le portrait de Hitler, en parlant toute seule à mi-voix, un peu comme si elle priait pour qu'il vienne en personne à notre secours. La radio ne marchait pas. Nous ne pouvions absolument rien faire qu'attendre, attendre que les choses changent – en bien ou en mal.

J'avais très envie, et Elsbeth aussi, d'aller voir ce qui se passait dehors. « Juste un coup d'œil ? Un tout petit coup d'œil ? » a-t-elle demandé à Mutter, un jour où, depuis plusieurs heures, on n'avait

entendu aucun bruit dehors. La réponse a cinglé :
« Nein ! C'est trop dangereux. Je ne veux pas. »

Depuis que nous l'avions persuadée de descendre dans l'abri, elle n'en bougeait plus et ne nous permettait pas d'en sortir. Nous avions suffisamment d'occupations dans la journée pour ne pas avoir le temps de penser à autre chose. Mais le soir, les images du camp de prisonnières revenaient me hanter. Et je me posais toutes sortes de questions sur ma famille – ma vraie famille, celle que j'avais presque failli oublier.

Une nuit, j'ai été réveillée par Elsbeth qui me secouait doucement par les épaules :

« Eva, Eva, tu te sens bien ? Tu pleurais en dormant. Dis-moi ce qui ne va pas. »

Je sentais l'inquiétude dans sa voix – mais que pouvais-je lui répondre, puisque je ne comprenais pas moi-même ce qui m'arrivait.

« Rien, rien, ai-je dit. Retourne te coucher. »

Elle devait se douter qu'un changement était en train de se produire au plus profond de moi. Nous avons continué à jouer aux cartes ensemble, à tricoter et à bavarder pendant des heures, mais je n'étais plus tout à fait sa nouvelle sœur, celle qu'elle s'était mise si vite à aimer.

*
* *

Au bout de trois semaines dans l'abri, mon corps avait pris le rythme du soleil : je me levais en même temps que lui et m'endormais dès qu'il se couchait. Un peu de jour filtrait par les petites fenêtres dans la journée, mais dès que le crépuscule tombait, il fallait allumer des bougies et, à leur faible lueur, on ne pouvait pas faire grand-chose.

Elsbeth avait réussi à persuader Mutter de recommencer à se nourrir à des heures régulières. Après quoi, elle a entrepris d'obtenir d'elle l'autorisation de remonter dans la maison pour chercher quelques livres de classe, parce que nous commencions à terriblement nous ennuyer.

« Juste pour quelques minutes, Mutter, a-t-elle supplié. Juste le temps d'aller prendre nos cahiers et nos manuels de maths. Nous redescendrons tout de suite après. Il fait jour et on n'a pas entendu d'avions passer depuis plusieurs heures. Et si tu veux, je te rapporterai la broderie que tu venais de commencer. »

J'ai lu dans le regard de Mutter qu'Elsbeth avait presque réussi à la convaincre. Elle s'ennuyait, elle aussi et avoir un ouvrage entre les mains l'occuperait. Elle ne pleurait plus en réclamant Peter, un

peu de rose lui revenait aux joues. Disons qu'elle
était à nouveau presque dans son état normal.

« Eh bien, je suppose… » a-t-elle commencé, mais
un épouvantable fracas juste au-dessus de nos têtes
l'a interrompue. Puis il y a eu beaucoup de bruit
dehors et ensuite un piétinement de bottes au plafond, des hurlements et des ordres criés dans une
langue inconnue.

« Des Russes, oh, mon Dieu, ce sont des Russes »,
a gémi Mutter. Elle a serré son châle autour de ses
épaules et nous avons couru nous asseoir tout contre
elle, sur son lit.

Là-haut, le vacarme ne cessait pas. On entendait
des portes claquer, des coups dans les murs qui se
répercutaient jusque dans la cave. Une terreur sans
nom m'a envahie à l'idée que nous étions littéralement prises au piège dans l'abri.

Notre porte s'est ouverte brusquement et trois
soldats sont apparus, mitraillette à la main. Ils
étaient jeunes, barbus, en uniforme marron et
courtes bottes noires. Mutter a étouffé un cri et je
lui ai pris la main. Je me suis souvenue d'un seul
coup de l'arrivée des soldats dans notre maison de
Lidice. Les larmes me sont montées aux yeux.
Allait-on m'emmener de force encore une fois ?

Un des soldats brandissait une liasse de papiers

qu'il est venu agiter devant le visage de Mutter. En très mauvais allemand, il a crié :

« Documents ! Frau ! Où être documents ? Où être Herr Werner ? Documents ? »

Elle a secoué la tête :

« Je ne sais pas ! Je ne sais rien ! »

Il l'a brutalement empoignée par un bras et l'a forcée à se lever.

« Mutter ! » s'est exclamée Elsbeth, qui a tenté de s'interposer. Mais un autre soldat l'a repoussée sur le lit et nous a tenues en joue toutes les deux. Le premier a entraîné Mutter avec lui dans l'escalier et nous avons attendu, terrorisées à l'idée de ce qui risquait de se passer ensuite.

Notre gardien sentait mauvais. Était-ce l'odeur de la peur ou alors ne s'était-il pas lavé depuis longtemps, à cause de la guerre ? Ses yeux nous fixaient, sans se détourner un seul instant. Je me suis demandé si les soldats russes étaient aussi cruels que les nazis.

Finalement, après ce qui nous a semblé avoir duré des heures, Mutter est revenue avec le premier soldat. Il l'a littéralement jetée sur le lit où elle est restée, pâle et tremblant de tous ses membres. Elsbeth l'a serrée contre elle. Les Russes se sont parlé tout bas, nous ont lancé un dernier regard, puis sont partis aussi abruptement qu'ils étaient entrés.

Nous les avons entendus tirer des coups de feu dans la maison, puis casser toutes sortes de choses. Finalement, un énorme fracas a retenti, suivi d'une cascade de morceaux de verre qui se brisent. Un dernier piétinement de bottes au plafond, puis, enfin, le silence.

« Ils cherchaient Hans, ils voulaient prendre ses papiers dans son bureau, a chuchoté Mutter. Ils ont emporté tout ce qu'ils ont trouvé. Tout. Et ils ont saccagé la maison. Ils ont... »

Là-dessus, elle s'est mise à sangloter, tandis qu'Elsbeth la berçait doucement contre elle.

*
* *

« Nous avons besoin d'une arme », a déclaré Elsbeth le lendemain matin. Je n'étais pas encore tout à fait réveillée. Par les minuscules fenêtres de la cave, un peu de jour filtrait et j'ai compris que le soleil commençait à se lever. Je me suis assise dans le lit que nous partagions, Elsbeth et moi. Le poêle n'était pas encore allumé et il faisait froid. Je me suis frotté les yeux en frissonnant de la tête aux pieds.

« Une arme, mais pourquoi ? ai-je demandé.

— Un pistolet. Pour nous protéger. Je veux aller

chercher celui avec lequel j'ai appris à tirer dans les bois. D'autres soldats risquent de surgir et ils ne me feront pas prisonnière. Pas question. »

Elle parlait d'un ton très déterminé.

« Elsbeth ! Tu ne peux pas retourner là-bas ! C'est trop dangereux. »

Je revoyais le regard dur des Russes.

« Fais comme tu veux. Moi, j'y vais.

— Voyons, allons d'abord regarder ce qui reste dans le bureau de ton Vater. Tu te souviens, il était rempli d'armes. Je vais monter avec toi voir s'il en reste. »

Nous avons vite enfilé nos manteaux. J'ai jeté un coup d'œil à Mutter qui dormait encore profondément. Puis nous avons monté l'escalier sans bruit et sommes d'abord allées dans la cuisine. Il y faisait froid et une mince couche de givre recouvrait la table et le fourneau. Tout semblait calme et paisible. Le soleil entrait maintenant à flots dans la pièce. Après être restée si longtemps dans la cave, j'ai eu du mal à m'habituer à la lumière. J'ai cligné des yeux quelques instants, avant de pouvoir les ouvrir vraiment.

J'avais oublié comme c'est rassurant de voir clair. Par les vitres brisées, j'ai regardé dehors, où rien ne semblait avoir changé, ni les pelouses parsemées de plaques de neige, ni les grands arbres à l'orée du bois, ni le hangar à outils, ni le pavillon des domestiques, comme un défi à la guerre.

Mais dans la maison, tout était sens dessus dessous. Quand nous sommes allées dans le hall, nous avons vu les beaux rideaux cousus par Mutter en lambeaux par terre. Il y avait de la porcelaine brisée partout. Les tableaux avaient été arrachés des murs et les portraits de Hitler criblés de balles. L'énorme fracas entendu avant le départ des soldats russes, c'était la chute du grand lustre en cristal de la salle à manger, maintenant en milliers de morceaux éparpillés partout. Dans la bibliothèque, des douzaines de livres jonchaient le sol et on avait planté un couteau dans une photo de Hitler, droit entre les yeux.

La porte du bureau de Herr Werner était de travers. Elsbeth a voulu la pousser, mais elle a failli tomber. Elle l'a redressée et posée contre le mur et quand nous avons pénétré dans la pièce, cela a été pour constater qu'elle était pratiquement vide.

« Tout a disparu, a chuchoté Elsbeth. Tout. »

Comme si elle n'arrivait pas à y croire, elle s'est dirigée droit vers un placard qu'elle a ouvert, mais il ne restait rien à l'intérieur.

« Elsbeth », ai-je dit en posant la main sur son

bras. Ses yeux brillaient de larmes, qu'elle a essuyées rageusement de sa manche. Puis elle a déclaré :

« Eva, il faut qu'on aille chercher le pistolet caché dans les bois.

— Mais tu sais à quel point c'est dangereux. Écoute le bruit des avions et de la mitraille dehors.

— Ça m'est égal, on ira cet après-midi quand Mutter fera sa sieste. On fera vite, Eva. Juste le temps de prendre le pistolet et revenir. On doit pouvoir se protéger ici. Alors, tu viens avec moi ?

— Oui, d'accord, je t'accompagne. »

Et elle a serré ma main entre les siennes.

Dès que Mutter s'est assoupie, après le déjeuner, nous nous sommes habillées chaudement. D'un seul coup, j'ai compris que nous allions retourner près du camp de prisonnières. Alors j'ai vite vérifié que la broche de Babichka était bien épinglée dans l'ourlet de ma jupe.

« Dépêche-toi, Eva », m'a enjoint Elsbeth.

Une fois dehors, j'ai été contente de sentir à la fois l'air frais et le soleil sur mon visage. C'était la fin de l'hiver, en même temps que le début du printemps. J'ai respiré profondément pour bien remplir mes poumons. Et bizarrement, j'ai éprouvé un certain sentiment de liberté, maintenant que je ne me trouvais plus dans l'espace confiné de la cave. J'ai respiré encore – mais l'horrible odeur était toujours là. Il y avait le camp, les prisonnières, tout près.

Elsbeth marchait d'un bon pas devant moi, comme si la neige, l'odeur, le simple fait de se retrouver dehors ne comptaient pas. Elle s'était fixé un seul objectif : aller jusqu'à la clairière et récupérer le pistolet.

Une fois là-bas, je n'ai d'abord rien reconnu. Des trois arbres marqués d'une cible rouge, il ne restait qu'un seul debout, les deux autres étaient couchés par terre, abattus par le poids de la neige ou par la mitraille. Comment retrouver la grosse pierre sous laquelle était caché le pistolet, étant donné l'amoncellement des branches sur le sol ?

Affolée, Elsbeth s'est mise à fouiller partout : « C'est ici, non, peut-être là », disait-elle, les mains enfouies dans les feuilles mortes. Finalement, elle a crié :

« Eva, viens m'aider ! »

J'ai regardé autour de nous et conclu que c'était sans espoir :

« Écoute, Elsbeth, on ne va pas y arriver. Le pistolet est quelque part là-dessous, mais on ne peut rien soulever, c'est trop lourd.

— Si ! Aide-moi !

— Elsbeth, voyons, arrête ! »

Elle s'est effondrée à genoux, trempant ses gros

bras de laine sur le sol humide. Et ses yeux se sont emplis de larmes :

« Tu as raison », a-t-elle simplement dit, tremblant de froid.

J'ai insisté :

« Écoute, on gèle, rentre, je vais continuer à chercher encore un peu. »

En réalité, maintenant que nous étions près du camp, je voulais aller au moins jusqu'à la clôture et je savais que si Elsbeth restait avec moi, elle ne me le permettrait jamais. Elle a protesté :

« Mais non, je ne veux pas te quitter et il faut absolument qu'on trouve ce pistolet.

— Elsbeth, réfléchis, Mutter risque de se réveiller. Au moins l'une de nous doit la rejoindre. Je te promets que je vais fouiller partout. »

Elle m'a lancé un regard plutôt méfiant mais a finalement eu l'air de se laisser convaincre :

« Bon, d'accord, je rentre à cause de Mutter. »

Je l'ai regardée s'éloigner, puis je suis partie droit en direction du camp, vers l'endroit d'où j'avais entendu chanter en tchèque. Comme il n'y avait aucun bruit d'avion pour l'instant, je n'avais pas réellement peur. Il fallait absolument que je retourne là-bas. Peut-être que je pourrais me faufiler sous les barbelés. J'ai marché vite, en faisant attention aux plaques de neige et aux ronces.

Soudain, une branche a craqué derrière moi et je me suis pétrifiée sur place. Mais quand je me suis retournée, c'est Elsbeth que j'ai vue surgir devant moi, le visage dur et froid.

« Oh, c'est toi, ai-je dit, soulagée. Tu m'as fait peur, j'ai cru...

— J'ai décidé de revenir parce que, justement, je croyais que tu aurais peur, toute seule. Mais je vois que ce n'est pas le cas. Et je sais où tu vas. »

Son ton s'est fait accusateur et elle est venue se planter tout près de moi :

« Je t'avais dit de ne pas retourner là-bas. Jamais. C'est un endroit dangereux, plein de gens dangereux, méchants...

— Elsbeth... »

J'ai voulu lui expliquer, lui faire comprendre pourquoi il fallait absolument que j'y aille. Mais elle m'a coupé la parole :

« Tu es juive ? »

Sa question m'a fait l'effet d'un coup de poing. J'ai eu du mal à répondre :

« Quoi ? Non, je ne suis pas juive. De quoi parles-tu ? »

Elle a insisté :

« Je veux dire, étais-tu juive avant ? Avant de venir chez nous ? J'ai entendu de drôles d'histoires, tu sais. Sur des Juifs qui se faisaient passer pour des Allemands pure souche. C'est ça, ton problème ? »

Elle me crachait ces mots à la figure, comme de petits cailloux pointus qui me faisaient mal. J'ai senti une haine brûlante m'envahir, de la tête aux pieds. C'était une nazie. Comment avais-je pu l'oublier ? Une Allemande qui vénérait Hitler et haïssait le reste du monde. Elle ne valait pas mieux que les soldats qui m'avaient arrachée à ma famille. Pas mieux que Fräulein Krüger, qui avait envoyé Heidi et Elsa Dieu sait où. Pas mieux que Herr Werner qui enfermait mes compatriotes dans un camp.

Un goût âcre m'a soudain empli la bouche. Sans même réfléchir, je lui ai flanqué un coup de poing dans l'estomac, puis l'ai frappée sans m'arrêter. Au début, elle a essayé de se défendre. Mais avoir un grand frère m'avait appris au moins une chose : savoir me battre.

Je voulais lui faire mal, alors je l'ai jetée par terre, je lui ai donné des coups de pied, je lui ai tiré les cheveux, je l'ai griffée, déversant sur elle ma colère et ma frustration. Elle a tenté de se dégager et de s'enfuir, mais je l'ai attrapée par la cheville et nous avons dégringolé le long d'un talus toutes les deux. Arrivées en bas, à bout de souffle, nous sommes restées un instant sans bouger. Elsbeth pleurait.

« Eva… » a-t-elle commencé.

Elle avait une petite voix terrifiée. Elle paraissait si jeune, d'un seul coup, blême et comme perdue. Pourtant, elle était plus âgée que moi, mais elle restait une enfant qui ignorait tout de la vie.

Je me suis relevée et ai enfilé mes gants trempés. Je savais que, le lendemain, j'aurais des bleus partout, et elle aussi, mais pour le moment, je ne sentais rien, je n'éprouvais rien. Des avions grondaient à nouveau dans le ciel et j'ai compris qu'essayer d'aller jusqu'au camp serait de la folie. J'ai donc repris le chemin de la maison, sans me soucier des sanglots étouffés d'Elsbeth qui marchait derrière moi.

*
* *

Je ne lui ai plus adressé la parole ce jour-là. J'ai même tout fait pour l'éviter, dans l'espace restreint de l'abri. Ce qui venait de se passer dans les bois m'emplissait de colère et de tristesse, je ne savais plus où j'en étais, ni ce que je ressentais réellement. Elsbeth aussi a évité de se trouver trop près de moi. Je n'avais jamais vu un tel désespoir dans ses yeux. Mutter nous a observées, l'air soucieux. Elle devait se rendre compte que quelque chose n'allait pas, mais elle n'a rien dit.

C'est seulement dans la soirée que je me suis aperçue que la broche de Grand-mère avait disparu. Affolée, j'ai cherché partout, dans mes poches, dans l'ourlet de ma jupe, dans mes gants. Mais elle n'était nulle part, sûrement tombée quand nous nous étions battues. Je n'allais pas abandonner dans les feuilles mouillées le seul objet qui me restait de ma vie d'autrefois.

J'ai attendu dans le noir que la respiration calme de Mutter et d'Elsbeth m'indique qu'elles dormaient toutes les deux. Sans bruit, je me suis emparée d'une lampe électrique et j'ai monté l'escalier. Cette fois, je n'avais pas peur de ce qui risquait de m'arriver dans les bois. Je voulais à tout prix récupérer ma broche.

En arrivant à la porte de la cuisine, j'ai entendu du bruit derrière moi et je me suis retournée : Elsbeth était là.

« Eva ? » a-t-elle chuchoté.

Je n'ai pas répondu.

« Eva... Où vas-tu ? Je peux venir avec toi ? S'il te plaît...

— J'ai perdu quelque chose. Il faut que je retourne là-bas. »

Je parlais d'un ton rogue.

« Je t'aiderai à chercher. Eva, laisse-moi t'accompagner, je t'en prie... »

Elle avait l'air tellement sans défense que je me suis sentie faiblir, même si j'étais toujours en colère.

« Oh, fais comme tu veux, dépêche-toi, c'est tout. »

Elle est descendue chercher son manteau et une autre lampe électrique, et nous nous sommes mises en route. C'était une nuit de pleine lune et ses rayons éclairaient bien le chemin.

Une fois dans la clairière, j'ai retrouvé l'endroit exact où nous nous étions battues. On voyait encore l'empreinte de nos chaussures sur la terre mouillée. J'ai promené ma torche en cercle, espérant voir briller ma broche. Mais non, il n'y avait rien. J'ai été submergée par un terrible sentiment de perte. Elsbeth aussi balayait le sol avec sa lampe, sans savoir ce que je cherchais, mais voulant m'être utile.

Même en pleine nuit, l'horrible odeur était là, plus forte que jamais. Au bout d'un moment, je me suis effondrée à genoux et j'ai commencé à pleurer. Elsbeth s'est approchée et m'a entouré les épaules d'un bras, en chuchotant : « Oh, Eva... » Je l'ai laissée me bercer contre elle, j'ai même posé ma tête sur son épaule – cette même épaule que j'avais frappée à coups de poing un peu plus tôt. Après tout, je n'avais plus qu'elle et Mutter comme famille...

Quand j'ai réussi à me calmer, elle m'a aidée à me relever et, sans trop y croire, j'ai encore éclairé le sol autour de moi. Et d'un seul coup, j'ai vu quelque chose qui brillait un peu plus loin. Je me suis précipitée et, oui, c'était la broche de Grand-mère, l'épingle un peu tordue mais les petits grenats tous à leur place. J'ai poussé un soupir de soulagement, en la serrant dans ma main.

« Tu as trouvé ce que tu cherchais, Eva ? a demandé Elsbeth. Montre-moi. Oh, je n'avais encore jamais vu ce bijou. D'où vient-il ?

— C'était la broche de ma grand-mère. J'y tiens vraiment beaucoup. Je l'ai toujours sur moi. Je l'avais perdue quand... »

Et je n'ai pas pu continuer. J'étais encore en colère, comment aurais-je pu aimer Elsbeth, une nazie ? Pourtant, c'était ma sœur adoptive et, en dépit de tout, je l'aimais.

Elle s'est mordu la lèvre et a baissé les yeux :

« Eva, je suis désolée... Je n'avais pas l'intention de... Je veux dire, je ne sais rien sur toi, j'ignore qui tu es et...

— C'est vrai, tu ne sais rien, rien du tout. »

J'ai étalé mon manteau par terre pour m'asseoir au sec et j'ai repris :

« J'ai un père et une mère, nous habitons avec ma grand-mère. Et j'ai aussi une petite sœur et un grand frère. »

Ces mots-là, cela faisait si longtemps que je voulais les dire à voix haute. Cela me donnait l'impression que ma famille était soudain plus réelle, plus proche. Elsbeth est venue se blottir contre moi. J'ai continué :

« Et un jour, bientôt, je retournerai auprès d'eux.

— Eva, a-t-elle dit doucement, voyons, ce n'est pas possible.

— Si, ça l'est. Un jour, j'irai les retrouver.

— Mais, Eva... Je ne comprends pas...

— Non, tu ne comprends pas du tout. »

Elle tremblait de froid. Nous sommes restées un moment silencieuses. Je scrutais le ciel à la recherche de l'étoile Polaire. Tant pis si Elsbeth ne comprenait rien. Moi, je savais qui j'étais, d'où je venais et où j'irais un jour. Finalement, je lui ai demandé :

« Tu vois cette étoile au nord, celle qui brille tellement ?

— Oui... C'est l'étoile Polaire, n'est-ce pas ?

— Ma grand-mère m'a dit un jour que, si on est perdu, on peut se repérer sur elle pour retrouver son chemin.

— Mais comment ? »

Et j'ai répété à Elsbeth tout ce que ma grand-mère m'avait appris à propos de cette étoile-là. Pendant que je parlais, des bombes ont recommencé à exploser au loin et les tirs d'artillerie ont repris. Maintenant que j'avais retrouvé ma broche, j'étais de nouveau en contact avec la réalité et le danger de rester dehors. Il fallait rentrer.

À mon tour, j'ai aidé Elsbeth à se relever et nous sommes reparties vers la maison et l'abri.

*
* *

Une semaine plus tard, je me suis réveillée en sursaut, avec le sentiment qu'il se passait quelque chose d'inhabituel. Je voyais la silhouette d'Elsbeth, enfouie sous les couvertures à côté de moi, qui n'avait pas bougé depuis la veille au soir. Tout semblait à sa place dans la semi-obscurité.

Doucement, je suis montée à la cuisine. Le soleil se levait et ses premiers rayons apparaissaient par les vitres brisées, projetant des ombres comme des toiles d'araignée sur les murs. J'ai cligné des yeux, pour m'habituer à la lumière.

Dehors, on voyait que c'était le printemps. Les branches des arbres se couvraient de bourgeons, les oiseaux chantaient gaiement. Je me suis demandé depuis quand je ne les avais pas entendus. Puis j'ai fermé les yeux et tendu l'oreille. Et j'ai crié : « Mutter ! Elsbeth ! Réveillez-vous ! en redescendant l'escalier à toute vitesse. On n'entend plus rien ! Venez, venez ! »

Elles sont montées avec moi.

« C'est vrai, a chuchoté Elsbeth. On n'entend plus tirer.

— Il n'y a plus d'avions non plus ! » me suis-je exclamée en la prenant dans mes bras.

Mutter est allée chercher sa radio. Les mains tremblantes, elle a tourné les boutons jusqu'à ce qu'on finisse par entendre une voix, au milieu d'un concert de grésillements et de parasites : l'Allemagne venait de capituler, a-t-elle annoncé. Hitler était mort. Mutter s'est tournée vers nous, le visage ruisselant de larmes :

« C'est fini », a-t-elle dit à mi-voix.

13

Juin 1945 :
Fürstenberg, Allemagne

Cela nous a semblé bizarre de quitter l'abri et de revenir nous installer dans la maison. Nous avions perdu l'habitude de vivre à la lumière du jour. Chacune a repris sa chambre et il a fallu pendant des heures nettoyer les pièces les unes après les autres, poser des planches trouvées dans le hangar là où les vitres étaient brisées et – c'est ce qui a été le plus long – balayer les milliers de débris de verre qui jonchaient la grande salle à manger. Une fine couche de poussière recouvrait tous les meubles et nous les avons époussetés en nous servant de morceaux de draps en guise de chiffons.

Aucune nouvelle n'était parvenue de Herr Werner et de Peter, en dépit des demandes adressées par Mutter au gouvernement provisoire établi à Berlin. Elle ne voulait toujours pas pénétrer dans le bureau, ni permettre à Elsbeth ou à moi d'y mettre un peu d'ordre.

« Votre Vater fera cela lui-même dès son retour, nous disait-elle. Peter l'aidera. Vous savez bien que nous n'avons pas le droit d'y aller.

— Bon, d'accord, Mutter, on verra ça plus tard », a fini par déclarer Elsbeth, sans plus insister.

En ville, les magasins étaient pratiquement vides, mais nous avions encore des réserves de boîtes de conserve dans l'abri. Des postes de secours où on pouvait se ravitailler étaient mis en place à Fürstenberg, cependant Mutter a fermement refusé d'y avoir recours. D'après elle, cela ne concernait que « les pauvres » et « les nécessiteux ». Certainement pas nous.

C'était bizarre de me retrouver dans ma chambre rose. Tant de choses avaient changé depuis ces dernières semaines. Je me sentais comme détachée de tout, de la maison, de Mutter, d'Elsbeth. Une sorte de nuage noir m'enveloppait, je ne savais plus ce que j'éprouvais vraiment. Certes, on n'était pas venu m'arracher à Elsbeth et à Mutter, comme je le redoutais. Elles restaient ma seule famille. Mais depuis la découverte du camp, je savais que je ne pourrais jamais être complètement l'adolescente allemande que j'avais fini par devenir. En même temps, bien que la guerre soit finie, Papa et Maman n'étaient pas venus me chercher. J'avais l'impression de n'appartenir à personne, de n'être à ma place nulle part.

*
* *

Nous avons fini de nettoyer et de ranger, et, peu à peu, nous sommes revenues à une sorte de routine quotidienne. Mutter voulait que nous reprenions nos leçons. Elle-même s'est remise à ses travaux de broderie, et, ce matin-là, elle se trouvait au rez-de-chaussée, tandis qu'Elsbeth et moi étions à l'étage, censées étudier, mais sans parvenir à nous concentrer. Assise sur son lit, Elsbeth faisait de petits dessins et moi, à côté d'elle, j'étais perdue dans mes pensées. Soudain, on a entendu frapper violemment à la porte. Nous avons échangé un regard :

« Qu'est-ce que tu crois que... » a commencé Elsbeth, mais elle s'est interrompue à cause des hurlements que poussait Mutter :

« Non, non, pas ça... »

Il y avait de la terreur dans sa voix.

« Peter ! s'est exclamée Elsbeth. Il est arrivé quelque chose à Peter ! »

Nous avons dévalé l'escalier pour nous précipiter dans le hall. La porte d'entrée était grande ouverte et Mutter était effondrée par terre, aux pieds d'un homme et d'une femme plantés sur le seuil.

« Vous saviez que ce jour finirait par arriver, Frau Werner, a dit l'homme d'une voix sèche, comme s'il était en colère.

— Nein, nein ! Ce n'est pas vrai, ce ne sont que des mensonges ! Je vous en prie ! »

Elle a rampé pour l'attraper par une jambe, mais il s'est brutalement dégagé.

« Mutter ! »

Elsbeth est venue s'agenouiller près d'elle : « Mutter, qu'est-ce qui se passe ? Qui dit des mensonges ? Il est arrivé quelque chose à Peter ? »

Je suis restée immobile, je n'arrivais plus à bouger et je crois que je savais déjà pourquoi cet homme et cette femme se trouvaient là. Ils n'étaient pas en uniforme, je n'ai vu sur eux aucun insigne nazi, pas d'armes non plus, mais ils portaient au bras un long brassard avec une croix rouge. L'homme était roux, avec des taches de rousseur sur le visage et les avant-bras. La femme était grande et mince, les cheveux châtains coupés court, le regard vif.

« Es-tu Milada ? » a-t-elle demandé d'une voix très douce en s'approchant de moi.

Milada, Milada, Milada... J'ai cru voir ce nom scintiller devant moi, presque à portée de main. *Milada*, la petite Tchèque, la championne de course à pied, *Milada*, la meilleure amie de Terezie, la sœur de Jaro et d'Anechka. Milada, qui vivait avec ses parents et sa grand-mère adorée.

J'ai fait oui de la tête et je me suis mise à trembler.

« Milada, a repris la jeune femme, nous avons retrouvé ta mère, elle est en vie. Elle t'attend à Prague. »

Je me suis mise à pleurer, mais j'ai vite essuyé mes larmes, parce que je voulais voir bien clair et m'assurer que tout ceci n'était pas un rêve.

« Nein ! »

Mutter venait de se relever et elle donnait des coups de poing dans la poitrine du jeune homme :

« Nein ! Elle s'appelle Eva ! Elle est à moi ! C'est le Führer qui me l'a donnée ! Je suis sa mère ! »

L'homme s'est contenté de tendre le bras pour l'écarter.

J'ai éprouvé un étrange sentiment de détachement, je n'écoutais même plus vraiment. Elsbeth a fait un pas en arrière, blême, les yeux écarquillés.

« Eva ! » a crié Mutter en se tournant vers moi. Il y avait une telle souffrance dans sa voix que j'ai dû détourner mon regard. Alors elle s'est remise à hurler :

« Vous désobéissez aux ordres du Führer ! Vous n'avez pas le droit de l'emmener ! »

Et dans un sanglot, elle a ajouté :

« Cela me brisera le cœur ! »

La jeune femme m'a alors demandé :

« Milada, tu veux bien venir avec nous ? »

J'ai regardé Mutter, puis Elsbeth, avec la crainte que mon cœur aussi se brise. Mais j'ai répondu :

« Je m'appelle Milada », parce que j'avais besoin de prononcer mon nom à voix haute. Cela faisait si longtemps que j'en avais envie et j'ai senti la joie m'envahir. J'ai alors ajouté :

« Je veux rentrer à la maison. »

La femme m'a prise par la main et m'a fait sortir avec elle, en plein soleil.

« Attendez, ai-je demandé, il faut que je prenne mes affaires. Que je dise au revoir.

— Non, Milada, a-t-elle dit, on te donnera tout ce dont tu as besoin. N'emporte rien qui vienne de ces gens-là. »

J'ai tâté l'ourlet de ma jupe, pour vérifier que la broche de Grand-mère était bien à sa place et j'ai acquiescé.

Par la porte ouverte, on entendait les sanglots de Mutter et la voix d'Elsbeth qui tentait de la consoler. J'ai essayé de me concentrer uniquement sur le fait de marcher, un pas après l'autre, jusqu'à la voiture blanche garée dans l'allée. *Milada, Milada, Milada* résonnait dans ma tête.

*
* *

La jeune femme qui était venue me chercher chez les Werner appartenait à la Croix-Rouge internationale et s'appelait Marcie. C'est elle qui a été chargée de m'accompagner pour aller retrouver Maman. Américaine, elle parlait bien aussi le français et l'allemand. Nous avons pris le train ensemble pour le long voyage de Berlin à Prague.

Pendant plusieurs heures, je suis restée silencieuse. Je me sentais en quelque sorte anesthésiée, un peu comme après avoir quitté le Centre pour aller chez les Werner. J'étais partie de chez moi depuis trois ans. Trois ans. Et il s'était produit tant de choses pendant ces années-là. Me disait-on la vérité ? Allais-je enfin rentrer à la maison ?

Assise à côté de moi, Marcie ne disait rien non plus. Nous regardions toutes les deux le paysage défiler. Au bout d'un long moment, elle a fini par m'expliquer que Maman se trouvait dans un établissement pour personnes déplacées à Prague, après avoir été libérée d'une annexe du camp de Ravensbrück. En entendant ce nom, Ravensbrück, j'ai sursauté. Maman avait donc été en quelque sorte prisonnière sous les ordres de Herr Werner et proche de l'endroit où je vivais...

Les villes et la campagne allemande que nous traversions offraient un spectacle de désolation : maisons en ruine, vaches mortes dans les champs. Des soldats alliés patrouillaient dans les rues et sur les routes. Les habitants marchaient tête baissée ou fouillaient dans des décombres.

De temps à autre, je pensais à Elsbeth et à Mutter, mais c'était trop douloureux et je me suis efforcée de ne même plus me représenter leur visage à chacune.

Nous sommes entrées en Tchécoslovaquie en fin d'après-midi. Parce que le président tchèque s'était rendu à Hitler sans combattre, une grande partie de mon pays n'avait pas subi les mêmes destructions que la Pologne. Tout semblait paisible et accueillant, presque comme si la guerre n'était pas passée par là.

« C'est beau, m'a dit Marcie.

— Oh oui. Mais je crois que l'Amérique aussi est un pays magnifique.

— Bien sûr. J'aime aller à la découverte d'autres lieux.

— Dans combien de temps allons-nous arriver ? »

Marcie a consulté sa montre :

« Dans quelques heures. Ta mère est très impatiente de te retrouver. Elle n'a parlé que de ça depuis sa libération.

— Oh, moi aussi je meurs d'envie de la revoir. Et Papa, naturellement.

— Milada, il faut que je te dise quelque chose. »

Marcie a posé la main sur mon bras et au ton de sa voix j'ai compris que j'allais apprendre une nouvelle désagréable. J'ai serré les poings. Elle se préparait peut-être à m'annoncer qu'en réalité je ne rentrerais pas chez moi. Qu'une autre famille m'adopterait. Ou qu'on me réexpédiait au Centre. On m'avait abreuvée de mensonges depuis trois ans. Comment être sûre qu'il n'y en aurait pas d'autres ?

« Milada, j'aimerais ne pas avoir à t'apprendre cela. Mais ton Papa et Jaroslav ne se trouvent pas avec ta Maman. Je suis désolée, mon chou. Ils ont été tués tous les deux.

— Non, ai-je crié en me mettant brusquement debout. Non ! Je ne vous crois pas !

— Écoute, Milada, malheureusement, c'est vrai. »

J'ai eu une sorte de vertige et le chagrin m'a submergée.

« Mais la nuit où ils sont venus nous arrêter tous, les nazis ont prétendu que Papa et Jaro allaient partir dans un camp de travail... »

Je n'ai pas pu continuer. Cela n'avait donc été qu'un mensonge de plus... Marcie m'a doucement obligée à me rasseoir. Puis elle a repris :

« Ce soir-là, les Allemands ont conduit les hommes jusqu'à une ferme, celle des Horak, à Lidice. Et ils les ont fusillés. »

J'avais très froid, d'un seul coup. J'ai chuchoté :

« Et Grand-mère ? »

Mais je redoutais d'entendre la réponse. Marcie a tristement secoué la tête :

« Elle est morte à Ravensbrück. Mais nous tentons de retrouver Anechka, qui a été adoptée par une famille allemande. Nous ne savons pas encore laquelle. Je te promets que nous allons réussir à découvrir où elle est. »

Incapable de prononcer un mot, je l'ai dévisagée, puis je me suis tournée vers la fenêtre, en essayant de me concentrer uniquement sur les arbres qui défilaient le long de la voie.

« Milada, a dit Marcie, Milada ? »

J'ai senti une larme couler sur ma joue, puis une autre, une autre encore, jusqu'à ce que je me mette à pleurer si fort que je ne voyais plus rien. Marcie m'a attirée contre elle et m'a serrée dans ses bras.

*
* *

Quand nous sommes arrivées à Prague, ce soir-là, il pleuvait à verse. Nous avons tout de suite pris la direction du Centre pour personnes déplacées, autrefois une école. Et en y entrant, j'ai pensé à quel point c'était étrange que nous nous retrouvions, Maman et moi, dans le même genre de bâtiment que celui où nous nous étions séparées.

Dans le hall et les couloirs, il y avait partout des panneaux en allemand, en tchèque et en anglais, indiquant où étaient les toilettes, les bureaux des médecins et ceux des secrétaires. Marcie m'a montré le chemin jusqu'à la porte d'une pièce où, m'a-t-elle dit, Maman m'attendait.

« Comme ta mère parle allemand, a-t-elle ajouté, vous n'avez pas besoin de moi pour traduire. Donc je vais vous laisser.

— Oui, très bien, ai-je répondu, contente de me retrouver seule avec Maman.

— Tu te sens prête ? a-t-elle encore demandé, la main sur la poignée.

— Oui, oui, bien sûr !

— Tu sais qu'elle a été en camp de concentration.

— Mais oui, vous me l'avez expliqué. »

Je n'en pouvais plus d'attendre.

« Milada, il faut que tu comprennes qu'elle n'est pas comme quand tu l'as quittée. Là-bas, on traitait les gens plus mal que des animaux. Avec le temps, elle ira mieux, mais pour le moment...

— Je sais. Mais tout ce que je veux, c'est la voir.

— Écoute, si tu as besoin de moi, je ne serai pas loin. »

Elle a ouvert la porte et est partie. Maman et moi étions face à face. Si je n'avais pas su que c'était elle, je n'aurais pas reconnu la femme hagarde et décharnée assise sur une chaise, les mains croisées sur des genoux si maigres qu'ils pointaient sous sa robe. Elle ressemblait exactement aux prisonnières que j'avais vues derrière les barbelés. Les cheveux coupés très court en mèches désordonnées, les joues creuses, le teint blême, elle avait néanmoins encore ce regard lumineux que je n'aurais jamais pu oublier.

« Maman ? » ai-je dit en lui tendant la main. Au bout de trois ans, comment espérer que tout ceci était vrai...

« Milada... »

Elle a caressé mon visage, puis s'est mise à pleurer. J'ai posé mes doigts sur sa tête, son dos, ses épaules, ses bras, pour m'assurer que je ne rêvais pas. Elle ne cessait de répéter mon nom :

« Milada, Milada, ma petite Milada... »

Et longtemps après, je lui ai demandé de le redire encore, simplement pour l'entendre prononcé à haute voix.

14

Octobre 1945 :
Prague, Tchécoslovaquie

Quand Maman a commencé à aller un peu mieux, nous avons quitté le Centre pour personnes déplacées et sommes parties nous installer dans le petit appartement d'une de ses cousines, toujours à Prague.

Avant, notre famille se composait de six personnes, désormais nous n'étions plus que deux.

La cousine de Maman travaillait dans les bureaux du nouveau gouvernement en place, qui s'efforçait de remettre de l'ordre dans le pays après le départ des troupes allemandes. Elle nous a dit de rester chez elle aussi longtemps qu'il le faudrait.

J'ai commencé à aller à l'école à mi-temps, le matin, pour réapprendre le tchèque l'après-midi avec Maman. Je mélangeais les mots et j'avais du mal à me concentrer, mais peu importe : je ne voulais plus jamais parler allemand.

Si j'étais suffisamment occupée pendant la journée, la nuit, je revoyais les visages de Jaro, Papa, ma grand-mère et Anechka – un peu comme si, à force de rêver d'eux, j'espérais me réveiller un matin et les retrouver debout au pied de mon lit. Quand, à plusieurs reprises, j'ai voulu parler de mes rêves à Maman, elle a refusé de m'écouter :

« Nous devons vivre ici et maintenant, Milada », me disait-elle, même si je me contentais de prononcer ces noms-là. Après, elle s'enfermait dans la chambre que nous partagions et y restait des heures.

J'ai fini par ne plus parler de personne.

J'avais toujours dans ma poche la broche de ma grand-mère et, quelques jours après nos retrouvailles, je la lui ai montrée :

« Milada ! s'est-elle exclamée, les yeux emplis de larmes, tu l'as gardée ? Tout ce temps ? Toutes ces années ?

— Grand-mère m'avait dit de ne pas oublier, ai-je répondu en me mettant à pleurer aussi. Tu te souviens, c'était la nuit où ils sont venus et nous ont emmenés. »

Maman a fait oui de la tête et a pris la broche entre ses doigts : c'était absolument tout ce qui nous restait de notre vie d'avant la guerre.

Je retrouvais ma langue par bribes. Des mots me revenaient, des phrases entières, parfois, mais que j'oubliais ensuite à nouveau. Maman essayait de m'aider, en corrigeant ma prononciation et en me faisant répéter du vocabulaire. Un jour, elle a dit « Babichka », ce nom que je n'arrivais plus à retrouver et je l'ai aussitôt répété, soudain submergée de chagrin.

« Milada », a chuchoté Maman en me caressant les cheveux. J'ai fini par expliquer :

« Je pense à elle tout le temps, Maman. Et à Papa, et à Jaro. Et à notre petite Anechka. Je sais bien que notre vie, c'est ici et maintenant, mais je ne peux pas empêcher mes rêves de venir, la nuit. Et je ne comprends pas. Je ne comprends rien. »

Elle m'a serrée dans ses bras :

« Moi non plus, Milada, je ne comprends rien et peut-être qu'il faut qu'on parle. Peut-être suis-je enfin prête. Enfin, un peu… »

C'est moi qui ai commencé. D'abord lentement, puis de plus en plus vite, au point que les mots se bousculaient. J'ai raconté Elsbeth et sa mère, le Centre, Ruja, la petite Heidi. Le camp, et comment je l'avais découvert. Et le jour où Marcie était venue me chercher.

Après, cela a été le tour de Maman, mais elle m'a surtout raconté des choses d'avant la guerre, ma naissance, mon baptême. Son mariage et comment il avait tellement plu, ce jour-là, mais ça ne les avait pas empêchés, Papa et elle, de rire et de danser. Mais aussi la dernière fois où elle avait vu Babichka qu'on a emmenée parce qu'elle était trop vieille pour travailler. Et la mort de Terezie, assassinée en Pologne.

Quand la cousine de Maman est rentrée ce soir-là, elle nous a préparé un petit repas, puis elle est allée dans sa chambre, pour nous laisser seules. Nous avons continué à discuter très tard, nous avons pleuré, mais ri un peu aussi. Quand finalement je me suis couchée, épuisée, j'ai dormi sans faire de rêves, pour la première fois depuis longtemps.

*
* *

Quelque temps après, nous sommes retournées à Lidice – enfin, là où il y avait eu Lidice. Les troupes hitlériennes ayant tout rasé, tous les bâtiments, les maisons de nos voisins et de nos amis, il ne restait qu'un immense champ complètement vide, sans aucune trace des événements horribles qui s'étaient passés là trois ans auparavant.

Nous avons gravi la petite colline qui surplombait autrefois la ville, celle d'où nous venions observer les étoiles, Papa et moi. J'ai pris la main de Maman dans la mienne. Elle a caressé la broche de Babichka que je portais agrafée sur mon col, pour que tout le monde puisse la voir, et elle m'a dit que cela l'aidait à se souvenir des bonnes choses d'avant la guerre.

Le soleil commençait à décliner et, au loin, l'horizon prenait des teintes orangées. J'ai cherché du regard l'endroit exact où nous avions habité. Et il m'a semblé entendre comme un écho des voix de Papa, de Jaroslav et de bébé Anechka. Et même de Babichka, me répétant de ne jamais oublier qui j'étais. Jamais.

« Ils n'ont pas gagné, tu sais, m'a dit doucement Maman, ni la guerre ni rien. Ni en t'enlevant ou en enlevant Anechka. »

Elle regardait droit devant elle. Je crois que, comme moi, elle essayait de se représenter Anechka, maintenant devenue une petite fille.

« Je sais. » Puis j'ai ajouté : « Ils vont la retrouver, Maman. J'en suis sûre. »

Elle s'est tournée vers moi, puis a levé les yeux vers le ciel. Une première étoile venait d'apparaître. Je l'ai contemplée longtemps. Et j'ai pensé : « J'ai fini par rentrer chez moi, Babichka. Et je n'oublierai pas. Jamais. »

Glossaire des mots allemands

Frau :	Madame
Fräulein :	Mademoiselle
Herr :	Monsieur
Ja :	Oui
Kinder :	Enfants
Liebling :	Chéri(e)
Mutter :	Mère
Nein :	Non
Vater :	Père

Note de l'auteur

Milada, Ruja et les autres personnages de ce livre n'ont pas réellement existé, mais les événements terribles dont il est question ici sont authentiques.

D'abord le drame de la petite ville de Lidice, à environ quinze kilomètres de Prague. Rappelons qu'en 1939 les troupes hitlériennes occupaient toute la Tchécoslovaquie (aujourd'hui divisée en deux, la République tchèque et la Slovaquie). Hitler avait nommé Reinhard Heydrich « protecteur » du pays, un homme particulièrement cruel et brutal, que les Tchèques appelaient « le boucher de Prague ». Le 27 mai 1942, des membres de la résistance tchèque tentèrent de l'assassiner et il mourut de ses blessures le 4 juin suivant.

Fou de rage, Hitler chercha aussitôt à le venger et il fut décidé en représailles de liquider Lidice. Le 10 juin, tous les habitants furent arrêtés et cent soixante-treize hommes et adolescents aussitôt fusillés. Les femmes partirent pour le camp de concentration de Ravensbrück, au nord de Berlin. Là, elles avaient sur leur « uniforme » un triangle rouge avec la lettre T, pour *Tschechisch*, le mot allemand pour « Tchèque ». Beaucoup moururent de maladie. D'autres furent exécutées parce que trop faibles pour travailler. Les corps étaient brûlés dans les fours crématoires, proches de Fürstenberg d'abord, puis à Ravensbrück même, où il y avait aussi une chambre à gaz.

En ce qui concerne les enfants, quatre-vingt-deux furent emmenés en Pologne, d'abord laissés à moitié morts de faim et de froid pendant plusieurs semaines, puis asphyxiés au gaz près de Chelmno dans des camions spécialement aménagés.

Des cinq cents habitants de Lidice, trois cent quarante périrent. Et le village entier fut rasé.

Mais certains enfants, une dizaine, connurent un sort différent. Parce qu'ils étaient blonds aux yeux clairs, ils furent sélectionnés pour être « germanisés », dans l'effrayant programme nazi intitulé ironiquement Lebensborn, la « source de vie ». Les plus jeunes étaient immédiatement adoptés par des familles allemandes. Les plus grands allaient dans des « Centres », où la discipline était très stricte, et ils devaient y apprendre l'allemand et les règles de l'idéologie nazie. Ceux qui ne parvenaient pas à s'acclimater étaient expédiés en camp de concentration pour y mourir. À travers toute l'Europe occupée, des milliers d'enfants furent arrachés à leur famille, parfois kidnappés en pleine rue, pour devenir de parfaits petits nazis, parce qu'ils avaient les traits du visage « aryens ». Aryen signifie « noble » en sanskrit et les Aryens étaient des populations d'origine indo-européenne il y a près de deux mille ans. Dans la délirante doctrine nazie, aryen signifiait « de race pure », de « race supérieure ».

Après la guerre, des recherches furent effectuées pour retrouver ces enfants, mais pas toujours avec succès, malheureusement. Et parmi les plus jeunes, ceux qui ne se rappelaient pas leur vraie famille furent très traumatisés quand ils durent quitter leurs « parents adoptifs ». Beaucoup de victimes du Programme Lebensborn ont disparu à jamais.

En 2004, l'auteur de ce livre est allée au Mémorial de Lidice, dans le nouveau village construit à côté de l'emplacement de l'ancien et elle a rencontré quatre survivants des événements du 10 juin 1942,

parmi lesquels deux anciens « enfants Lebensborn », qui lui ont raconté leur histoire : Václav
Zelenka, enlevé à quatre ans, est aujourd'hui maire
du nouveau Lidice. Maruška Doležalová-Supíková,
kidnappée à dix ans, a eu un destin très semblable
à celui de Milada. Et elle aussi a réussi à garder
pendant toute la guerre un bijou de famille – dans
son cas, des boucles d'oreilles...

Remerciements

J e n'aurais jamais pu écrire ce livre sans l'aide et les encouragements de ceux et celles que je voudrais remercier ici :

D'abord les membres de ma famille et mes amis, en particulier Kathleen Keating et Jeanie Davis Pullen.

Les professeurs de Hamline University, parmi lesquels Sheila O'Connor et Mary Rockcastle.

Kate DiCamillo, Jennifer Wingertzahn et Ann Tobias, mon agent littéraire, qui a cru dès le début à mon projet d'écrire cette histoire.

Marie Tělupilová, qui dirige le musée du Souvenir de Lidice, et Katarina Kruspanova, mon guide et mon interprète à Lidice.

Miloslava Suchánek-Kalibová, Jaroslava Suchá-nek-Sklenička, Václav Zelenka et Maruška Doleža-lová-Supíková, qui ont survécu aux événements du 10 juin 1942 et m'ont raconté ce qu'ils ont enduré.

Michlean L. Amir, archiviste au musée de l'Holo-causte à Washington, et Teri Balkenende, profes-seur d'histoire à l'université Antioch à Seattle, Washington.

Vous avez aimé :

ILS M'ONT

APPELÉE

EVA

Découvrez vite :

Abela

de Berlie Doherty

J'étais persuadée que maman avait oublié cette histoire d'adoption. Elle n'en avait plus reparlé, et moi non plus. Elle s'était sans doute rendu compte que c'était une mauvaise idée, finalement. Et puis, un après-midi, quelques jours après mon anniversaire, elle n'est pas venue me chercher à l'école. La mère de Sophie Maxwell m'a dit que je devais rentrer avec elle et sa fille. Du coup, au lieu de traverser le parc avec maman, je suis montée dans leur grosse voiture où deux retrievers m'ont bavé dans le cou. On habite juste de l'autre côté du parc, et pas suffisamment loin pour que je prenne le bus, mais maman ne veut pas que je traverse le parc toute seule quand la nuit est tombée.

— Ta maman a de la visite, m'a dit la mère de Sophie en mâchant un chewing-gum.

Elle mâche tout le temps du chewing-gum parce qu'elle essaie d'arrêter de fumer. Clac, clac, clac, fait sa bouche quand elle parle. Je la voyais dans le rétroviseur, clac, clac, clac, mais je n'entendais pas ce qu'elle disait à cause des chiens qui haletaient à côté de moi.

— Elle va venir chez nous ? a demandé Sophie.

Sophie Maxwell ne m'aime pas beaucoup. Moi non plus, je ne l'aime pas, mais sa maison est à deux maisons de la nôtre.

— Non, je ne pense pas, a répondu sa mère.

Ça, je l'ai entendu. Elle m'a souri gentiment dans le rétroviseur. Quand elle sourit, ses joues se gonflent, comme quand on est chez le dentiste et qu'il vous met des boulettes de coton dans chaque joue. Une fois arrivée, je me suis dépêchée de sortir de la voiture, bien contente de partir, et j'ai essuyé la bave des chiens dans mon cou.

— Tu es la bienvenue chez nous si ta maman est toujours occupée, a lancé la maman de Sophie.

Clac, clac, clac, a fait son chewing-gum.

— C'est ça, oui, ai-je marmonné.

Une femme que je ne connaissais pas se trouvait dans la cuisine et buvait du thé. Elle avait de longs cheveux gris, noués en deux tresses, et portait un pantalon à fleurs et les plus belles chaussures que j'avais jamais vues, rouge, vert et bleu. S'il y a une chose que j'aime peut-être plus que les livres, ce sont les chaussures. Un jour, j'en dessinerai, mais ça, c'est mon secret.

— Alors, voici Rosa, a-t-elle dit, et elle a tendu la main et m'a touché la joue.

J'ai reculé.

— Rosa, je te présente Miss West, a dit maman.

— Molly, a corrigé la femme en souriant. Je suis de l'agence d'adoption, Rosa.

— Oh, ai-je fait, sans pouvoir masquer ma déception.

Maman n'avait donc pas oublié. Elle l'avait gardé dans un coin de sa tête pendant tout ce temps, comme quelque chose qu'elle ne voulait confier à personne.

Je me suis approchée de l'escalier avec l'intention de monter le plus vite possible dans ma chambre, mais maman m'a regardée et ses yeux semblaient me dire : « Reste ici », puis elle m'a adressé un sourire qui, lui, signifiait : « S'il te plaît, Rosa, ne me laisse pas tomber », et enfin, elle a dit tout haut :

— Rosa, sers-toi une tasse de thé. Tu peux avoir un gâteau au chocolat aussi.

J'ai fait exactement ce qu'elle a dit, comme une petite fille sage. J'ai mangé mon biscuit gentiment et j'ai répondu aux questions que madame Molly m'a posées sur l'école. Je lui ai dit que ce n'était pas si mauvais que cela à la cantine et que ce que je préférais, c'était la récréation, ce qui l'a fait rire. Elle m'a demandé comment s'appelait ma meilleure amie, et j'ai répondu Sophie Maxwell parce que c'est le seul nom qui me venait à l'esprit, et aussi parce que même si j'étais gentille et sage en apparence, au fond de moi, je tremblais. J'avais l'estomac noué, et dans ma tête ça cognait. Je n'arrivais à penser qu'à une chose : si la dame de l'adoption voyait que j'étais une gentille petite fille, elle en déduirait que maman n'avait pas besoin d'un autre enfant.

— Est-ce que tu aimerais me montrer ta chambre, Rosa ? a demandé madame Molly.

Je me suis tournée vers maman. Elle m'a souri et j'ai lu dans ses yeux qu'elle me remerciait d'être si gentille et si sage.

— Elle est un peu en désordre, ai-je avoué.

— Ce n'est pas grave, a répondu Molly. La mienne aussi.

On est alors montées et elle s'est extasiée devant ma collection de poupées en tissu, mon affiche de la série Doctor Who et mes rideaux bordés de petits ours en peluche que maman avait confectionnés à ma naissance. J'ai regardé ma chambre avec des yeux d'étrangère et j'ai trouvé qu'elle faisait penser à une chambre d'enfant plutôt que d'adolescente. Mais j'étais bien, là. Je me sentais en sécurité.

— Je vais vous montrer ce que je préfère, ai-je déclaré. Vous voyez cette étagère et le trou au milieu ? Il faut mettre un des jouets dans le trou en le lançant du lit sans renverser les livres. C'est avec le clown qu'on y arrive le mieux, à cause de ses longues jambes.

[...]

Cet ouvrage a été imprimé en France par

BUSSIÈRE

à Saint-Amand-Montrond (Cher)
en mars 2010

Cet ouvrage a été composé par
PCA - 44400 REZÉ

12, avenue d'Italie
75627 PARIS Cedex 13

— N° d'imp. 100739/1. —
Dépôt légal : avril 2010.